혁명은
이렇게
조용히

88만원세대 새판짜기

혁명은 이렇게 조용히

우석훈 지음

Redian
열정과 진보 그리고 유혹의 미디어
레디앙

차례

이 시대의 수다쟁이, 언어의 연금술사

빨리 일어나

아니, 더 잘 거야

더 자

아니, 깨어 있을래

이거 꿈이야 진짜야 –

– 또하나의문화 10대 소녀 공동 창작극 〈빈 밤, 설치다〉 중에서

우석훈 선생은 새것과 만나면 금방 책 한 권이 나온다. 탈계몽주의 시대인데도 계속 책을 쓸 수 있는 대단한 신통력을 가진 분이다. 사실 나는 말이 세상을 배반하는 시대에도 계속 수다를 떠는 두 사람을 흥미롭게 지켜보고 있었는데, 한 명은 진중권이고 다른 한 명이 우석훈이다. 나는 이 두 연금술사들이 자기 속에 샘솟는 언어를 가지고 맑은 시내 그리고 강이 될 수 있도

록 신나게 수다를 떨 수 있는 한 우리 사회의 미래도 그리 암울하지만은 않으리라 생각하는 사람이다(2009년 8월 29일 오늘 뉴스에서 중앙대가 진중권 씨의 교수직을 거두어 가고, 홍대에서도 시간강의를 주지 않기로 했다는 불길한 예보를 접했다. 진중권 씨를 만난 적은 없지만 이런 약간의 압력에 굴할 그가 아닐 것이다. 나는 그의 수다가 이 일로 더욱 풍성해질 것이라 생각한다. 앞으로도 창의적인 연금술사로서 샘물 같은 언어들을 마구 쏟아 내 주기 바란다). 진중권 선생은 개인적으로 만난 적이 없지만 우석훈 선생과는 작년 봄에 만나 의기투합해서 이런저런 일을 좀 벌여 왔던 편이다.

그를 내게 소개해 준 이는 10여 년 전에 "엄마는 겁도 없어, 어떻게 이런 세상에 아이 낳을 생각을 했어?"라며 대들어 내게 충격을 안겨 주었던 친구인데, 그 이후 환경운동에 열을 올리던 그가 꼭 만나 볼 분이라면서 접선을 시켜 준 것이 우 박사다. 그런데 지금 생각해 보면 그 친구가 우리를 연결해 주지 않았더라도 나는 필연적으로 우 박사를 만나게 되어 있는 운명(!)이었다고 생각한다. 그가 쓴 책, 특히 《직선들의 대한민국》이나 《괴물의 탄생》과 같은 책을 읽은 후, 감명을 받은 나는 분명 그에게 연락했을 것이기 때문이다. 세상 읽기의 즐거움을 선물해 준 그에게 감사하다는 말도 전할 겸, 학생 키우는 데 욕심이 많은 나는 그를 수업에 초대하지 않을 수 없었을 것이다. 더구나 이제는 경제 분석이 빠져서는 사회현상을 설명할 수 없는 시대라 경제, 사회, 문화를 섭렵해 내는 '초능력'을 가진 그와 접선이 된 것은 커다란 행운이 아닐 수 없다. 나는 만난 지 얼마 되지 않아 다음 학기에 수업을 함께해 보자는 제안을 했고 그는 흔쾌히 수락했다. 그때부터 우리의 품앗이 관계는 시작되었다.

나는 그가 학생들에게 탈계몽주의 시대에 여전히 유효한 이야기들을 들려주고, 그런 언어를 생산해 낸 비법을 전수해 주기를 바랐다. 그 대신 나는 아직은 어린(환갑이 지난 내게 막 마흔을 넘긴 그는 어린 사람이다) 그에게 학생들과 소통하는 법을 일러 줄 수 있으리라 기대했다. 그리고 우리는 2008년 가을 학기에 매주 화요일 1시면 학생들과 함께 만나는 사이가 되었다.

가가멜의 아이들

우박(우석훈 박사)은 수업에 자주 지각을 했다. 나도 실은 좀 지각을 하는 버릇이 있는데 교수가 되고 나서는 지각을 덜하는 편이다. 부스스한 머리에 샤워도 하지 않고 나타난 그는 학생들과 눈도 마주치지 않고 수줍게 "그간 잘 지내셨어요?"라는 인사말을 던진 후(그는 가정교육을 잘 받아 인사성이 좋으시다) 동서고금을 망라하는 석학들의 이름을 칠판에 적고는 곧바로 '수다'를 떨기 시작했다(남성적 언어로는 거침없는 열강에 들어갔다고 표현할 것이다).

세계사적 사건들과 세계적인 석학들의 이론을 하나로 꿰면서 죽어 있는 지식을 살아 있는 지식으로 살려 내는 것이 그의 장기다. 그가 읽은 엄청난 양의 책과 프랑스 유학 시절 직접 만난 저명한 학자들의 리스트에 기죽을 내가 아니지만, 《몬테크리스토 백작》을 읽은 후 집 뜰 호박나무 아래에서 매일 귀신을 보았다가 중학교에 들어간 어느 날부터는 귀신을 볼 수 없게 되었다는 이야기를 들으면서는 실상 기가 죽었다. 귀신을 본 적이 없는 나는 그 이야기를 들으면서 내가 결국 '관료적 인간'의 편에 서 있다는 사실을 인정하지 않을 수 없게 되었다. 그는 엄청나게 책을 읽을 뿐 아니라(그에게는 그만의 특이한 독해법이 있는 것 같다) 음악을 들으며 책을 쓰는 예술·마술사라는 사실도 곧 알게 되었다. 그는 또 요상한 영화와 만화들을 섭렵하고 있었다. 《해리 포터》는 말 잘 듣는 아이들의 이야기고 부모들이 사 주는 책이라면서, 제대로 사유하는 아이들은 '레모니 스니켓'의 책을 읽는다는 그의 말을 들으면서 나는 또 한번 기가 죽었다. 아니 또 한 수 배웠다고 말해야 할 것이다. 그는 독서와 관찰을 통해 파편화된 현실을 하나의 통합된 그림으로 그려 내는 비법을 가지고 있었고, 나는 그 비법들을 들으면서 기가 죽었지만 또한 아주 행복감을 맛보았다. 학생들과 눈을 맞추는 스타일은 아니었지만 그의 열강은 사람을 휘어잡는 데가 있다. 나는 그의 이야기에 기가 죽으면서도 즐거웠다. 배우는 즐거움보다 더한 것은 없으며 배움은 기가 죽을 때 오는 것 아닌가. 나는 학생들이 얼마나 열심히 배우고 있는지 상황을 점검했다. 그들은 경청하고 있는가?

당혹스럽게도 개강한 지 한 달이 되어 가는데도 분위기는 뜨지 않고 있었다. 학생들은 강사답지 않은 초반의 그의 옷차림과 말투에 흥미를 보이다가 그의 강의에 익숙해져 가면서는 오히려 좀 싸늘한 태도를 보이기까지 했다. 뭔 일이 일어나고 있는가? 족집게 강사에 너무 익숙해져 있어서 그런가? 듣기에 따라 자기 자랑처럼 들리는 이야기도 좀 하고 오타쿠적인 데가 농후하긴 하지만, 우박이 하는 이야기는 늘 흥미진진하지 않은가? 왜 이들은 난 크게 관심이 없다는 듯, 여전히 방어적인 태도로 그와 만나고 있는가? 왜 적극적으로 그와 만나서 한 수 배울 생각을 하지 않는 것일까? 그러나 곧 나는 내가 학생들에게 잘못된 기대를 하고 있다는 사실을 알았다. 이 아이들은 배우는 것보다 이기는 것이 더 중요한 신자유주의 시대의 아이들이고, 우박의 표현대로라면 아무리 열심히 해도 더 나아질 것이 없는 '88만 원 세대의 아이들'이 아닌가? 그들이 방어벽을 치는 것은 당연한 일이다. 그들에게 우석훈 박사는 한 수를 배울 스승 이전에 얄미운 '엄친아'였던 것이다. 베르나르 베르베르의 책을 읽듯 멀리서는 봐 줄만 하지만, 바로 눈앞에 있는 그를 받아들이기는 쉽지 않았던 것이다. 승자독식시대의 경쟁을 내면화한 사람들은 아주 이지적으로 보이지만 실은 이렇게 감정적이다.

우리는 이 아이들이 그간 이기기 위한 공부만 해 왔지, 함께 잘살기 위해 정의와 진리를 이야기해 본 적이 없다는 사실을 잠시 잊고 있었던 것이다. 더구나 '잘난 사람'들이 세상을 망쳐 버렸다는 생각이 지배적인 탈계몽주의 시대에는 그간 사랑과 존경을 받아 왔던 지식인들에게 원망의 화살을 돌리기 마련이다. 예전에 지배권력인 독재자와 가부장에게 향하던 적대감은 이제 독재자와 가부장들을 막아 보려고 했지만 성공하지 못한 지식인들에게로 옮겨 가고 있다. 그래서 이제 모두 아무도 믿지 못하는 탈계몽주의 시대가 왔고 모두 가장 잘난 지식인이고 우주의 중심인 대중주의 시대가 온 것 아닌가. 이 엘리트들이 모인 교실이라고 예외는 아닌 것이다. 열심히 자기계발서를 읽고 자기 관리를 하고 자기 기획을 하면서 일류 대학에 들어온 이들에게 우박은 감당이 안 되는 엄친아여서 복합적 감정을 자아냈던 것이다. 그래서 학생들 중 다수가 "난 관심 없거든요."라는 표정으로 일관된 분위기를 연출해 내고 있었다.

그러나 단수가 높은 우박이 이를 그냥 지나칠 리는 없었다. 그는 즉시 그들에게 착한 스머프인 줄 착각하지도, 그런 척하지도 말라면서 '가가멜의 아이들'이라는 별명을 붙여 주었다. 나 역시 궁리 끝에 수업 온라인 게시판에 "고수에게 한 수를 배운다고 손해 볼 것 있냐?"는 말을 던져 놓았다. 다행히 우박의 팬클럽도 생겨났고, 수업 분위기는 조금씩 풀려 갔다. 한 학기 내내 우박에게 가까이 가지 않은 학생들도 더러 있었지만 학생들은 각자 나름대로 '성찰'이라는 것을 시작했다. 대학생과 만나는 데 재미를 붙인 우박은 학기가 끝나고도 계속 가가멜의 아이들과 만나 프로이트를 읽히고 칼 폴라니를 공부시켰다. 인연이라는 것이 이래서 무섭다. '밤섬해적단'이라는 이름을 가진 요상한 팀이 탄생했고, 그들과 함께 우박은 뚝딱 이 한 권의 책을 세상에 내놓은 것이다.

'사보타지 하는 신체'들을 깨우는 마법

이 책에 실린 〈'잉여'들의 새로운 시작〉이라는 글에서 서명선은 "'쿨함'은 20대의 마지막 도피처다. 지금의 고립 상태가 집단에 대한 공포에서 발생했다는 것을 인정하지 못하는 알량한 자존심 때문에, 20대들은 차라리 '믿음 자체에 대한 불신'이 마치 자신의 정체성인 양 행동하게 되었다."고 말하고 있다. 집단에 대한 공포, 함께해서 좋은 결과를 얻은 경험이 없는 아이들이 목소리를 내기 시작했다. 잘하면 말리고, 즐거워하면 곧 더 힘들어지는 시대라는 것을 누구보다 잘 알기에 이들은 마음을 들키지 않는 것을 목적으로 살아가고 있고, 그런 그들을 보고 어른들은 더욱 오진을 하면서 상황을 악화시키고 있는 것이 지금의 현실이 아닌가. 가정에서, 직장에서, NGO 활동의 장에서, 정치에서 세대 간 적대감이 서로를 망가뜨리고 있는 중이다. 소수의 영재들, 잠을 안 자고 선행 학습을 하면서 이기는 것에 엔돌핀을 쏟아 내는 '조증' 증세의 우등생들, 낙관적 에너지가 넘치는 엄친아들은 세상에 무서울 것이 없다는 듯 행동한다. 무서운 시대가 오고 있다는 사실을 전혀 감지하지 못하고 있는 것이다.

이 책에서 우박이 쓰고 있듯이 동유럽의 몰락과 함께 적이 사라지자 더는 눈치를 볼 필요가 없어진 '자본'은 신나게 달리기 시작했다. 돈이 돈을 낳는 세상이 왔고, 순식간에 시장은 '사회'를 식민화해 버리고 있다. 2000년 중반에 대한민국 2천만 명이 '펀드'교 신도가 되었다는 기사나 글로벌 금융위기에 관한 기사는 이런 고삐 풀린 자본주의가 만들어 낸 결과다. 공존, 공동 운명체, 공생, 공고^{共苦} 등의 단어가 골동품이 되어 버리자 청년 인재들은 글로벌 인재가 되겠다며 아이비리그로 몰려가 수학과 MBA 그리고 법학을 공부한 뒤 뉴욕 월가에서 몇 억대 연봉을 받는 인재가 되었다. 헤지펀드와 파생상품을 만지면서 앞장서서 카지노 자본주의화를 추진해 간 이들이 세계의 지도자일까? 그들이 진정한 세계 경제의 일류 일꾼일까? 그들이 대학들이 키워 내려는 인재들일까? "서민의 고통을 돌아보면 안 된다." "누구에게도 마음을 주면 안 된다."는 주문을 외우면서 승자독식시대의 승자가 되는 것이 목적인 이들을 키워 내기 위해서는 대학이 필요하지 않다. 공산권과 경쟁할 필요가 없어지면서 화살이 내부로 향해져 약자에게 엄청나게 잔인한 신자유주의적 질서가 만들어지고 있는데, 국가 공동체의 운명이 걸린 사안을 결정하는 지도자들 중에 이런 역사 감각을 가진 이가 드물다. 결국 경쟁과 적대의 원리가 판을 치는 시대는 내부를 분열시키고 아무도 행복하지 않은, 무시와 모욕으로 점철된 사회를 만들어 내는 것이다.

그래서 사람답게 살고 싶은 아이들은 말한다. "난 영재가 아니에요. 난 잠을 자야 해요. 난 그렇게까지 하면서 살고 싶지는 않아요." 이 체제에 깊이 상처를 받으면 이들은 곧, "난 아무것에도 관심이 없거든요. 날 건드리지 마세요."라며 몸으로 말하기 시작한다. 약간 입술을 내밀고 가면을 쓴 듯한 그들 특유의 모습은 거리에서 만나는 10대들의 얼굴과 몸에서도 쉽게 만날 수 있다. '사보타지 하는 신체'를 가진 아이들인 것이다. '사보타지 하는 신체'란 말은《네 멋대로 해라》《그래도 언니는 간다》등을 쓴 작가이자 20대 논객인 김현진에게 혁명의 불씨를 심어 준 사람이기도 한 송재희 씨가 붙인 표현이다. 90년대 대표적인 논술강사로 '신세대' 아이들과 열정을 나누던 그는 지금 은둔 중이라고 했다. "들키면 모든 것이 수포로 돌아간다."며 자신을 철저하게 감추는 아이들과 만나 재미나게 놀면서 이 친구들이 조금씩 마음을 주게 되는 것, 조금씩 깨어 있게 되는 기적을 일으켜 보고 싶다고 했다. 은둔하면서 마법을 찾고 있는 중이라는 것이다.

88만원 세대를 이해하기는 쉽지 않다. 아예 어떤 마법이나 암에 걸려 버려 있는 상태라고 보면 오히려 좀 이해가 된다. 최근 암에 걸린 20~30대가 늘어난다면서 자신의 암 투병기를 〈뉴스위크〉지(2009년 8월 26일자 42~44쪽)에 올린 이바 스콕은 자신들 세대의 투병 방법은, 오로지 긍정적 사고와 영적 세계에 집중함으로써 병을 이기는 이전 세대와는 다르다고 쓰고 있다. 그들은 냉소주의나 빈정거림 근처에는 얼씬도 않는 전 세대와 달리 자신들의 병 앞에서 솔직함과 유머, 냉소를 그대로 드러내면서 암과 더

불어 살아간다고 했다. 오로지 삶의 세상만 알았던 전 세대와 달리 이들은 죽음과 삶의 세상을 함께 보면서 더 현실적이 되어 가고 있는 것이다. 사실상 우리는 모두 암선고를 받은 시대를 살아가고 있다. 그런 면에서 지금은 마구 일을 벌이면서 다니기보다는 암에 걸린 청년들처럼 좀 달리 보면서 세상과 만나 가야 할 때가 아닐까? 일단 사보타지 모드로 들어가 멈추어 서서 그간 쫓기며 살아온 삶을 뒤돌아볼 때가 아닌가? 마구 달리는 고속열차에 몸을 맡기는 것이 능사인지 물어야 할 때가 온 것이다. 이와 관련해서 데이비드 오어는 《우리 속의 지구 Earth in Mind》(한국에서는 《학교를 잃은 사회, 사회를 잊은 교육》으로 출간)라는 책에서 받아들이기 너무 힘든 상황에 처했을 때 사람들은 상황 자체를 외면하거나 낙관적으로 생각하면서 자잘한 처방전을 계속 써 대거나 타이타닉호의 갑판에서 우아하게 연주를 하던 악단처럼 마지막 남은 시간을 품위 있게 보내려 한다고 했다. 그러나 데이비드 오어는 아우슈비츠 수용소의 생존자 빅토르 프랑클의 '비극적 낙관주의'가 가장 좋겠다고 말한다. 현실이 너무 벅차기에 웃음 말고는 도리가 없다면서, 삶을 희극적으로 볼 수 있는 것, 자신의 한계를 인식하고 수용하면서 "그럼에도 불구하고 삶에 대해 '예'"라고 말하였던 빅터 프랑클에게서, 희극의 주인공 돈키호테에게서 배워야 할 때라고 말한다.

20대, 상상을 시작하다

비슷한 맥락에서 '명랑'을 이야기해 온 우박이 이제 '혁명'이라는 단어를 선물로 가져왔다. 물론 여기서 그가 말하는 혁명은 그리 대단한 것이 아니라 "제발 쫄지 말라."는 것이다. 임금님이 발가벗었으면 그렇게 말하라는 것이다. 그는 삶을 희극적으로 보라고, 삶이 비극적이지만 '그럼에도 불구하고' 즐겁게 가 보자는 말을 하려고 한다. 나는 우박이 던진 이 말이 조만간 효험을 일으킬 것이라고 믿는다. 사실 최근 미친 속도로 달리는 롤러코스터에서 내리기로 한 알파걸과 엄친아들을 나는 종종 보고 있다. 명품 인재였던 지니(지니에게 혁명이라는 단어를 선물해 준 분이 고등학교 때 학원 선생님이었다. 그분은 교육이 실종된 학교에서 아이들을 구해 내는 꿈을 꾸었는데 그 꿈이 너무 무거웠던지 과로로 돌아가셨다. 지니는 지금도 때때로 그분 꿈을 꾼다고 한다)는 지난달 헤지펀드와 헤드헌터의 정글에 이별을 고했고, 세계 굴지의 포털에서 일했던 진석이도 쉬어 가기로 했다. 이들은 사람들을 불행하게 만드는 체제에 더는 기여할 생각이 없으며, 초경쟁으로 몸을 망가뜨릴 생각도 없다고 했다. 비록 사회에 악영향을 주지 않더라도 비생산적인 경쟁을 지속시키는 일에 기여할 의사도, 생각도 없다는 것이다. 헤드헌터였던 지니는 구태여 《자본론》을 읽는 수고를 하지 않고도 자본주의 심장에서 그 실상을 눈으로, 몸으로 똑똑하게 알게 된 것은 큰 성과이며, 그 자리를 홀가분하게 떠나 혁명을 꿈꾸게 된 것은 자신의 생애에서 둘도 없는 축복이라고 했다. 사람들을 뺑뺑 돌리면서 쓰다가 버리는 체제에서 하차하는 것, 그래서 정신 있는 속도로 살아가는 것, 마음을 줄 사람들과 더불어 세상을 만들어 가는 것, 이것이 지니가 생각하는 혁명이다. 그래서 그는 사회적 기업 동네로 이사했다. 지니가 상상하는 혁명은 물론 80년대와는 전혀 다른 어떤 것이다.

'혁명'이라는 단어는 각자 내용이 아주 다를 수 있지만, 분명한 것은 그것은 꺼지지 않는 불씨라는 것이다. 인류가 불을 발견한 이래 계속 불을 활용해 왔듯이 인류가 인류로 지구상에 살아남는 한 그 불씨는 살아 있을 것이다. 그것은 작은 만남을 통해, 한마디의 말, 책에서 읽은 한 문장을 통해서도 심어지는 불씨고, 그 불씨는 한번 만들어지면 결코 꺼지지 않는다. 그것은 스멀스멀 사람과 사람 사이를 이으면서 크고 작은 기적들을 일으키고 절망을 희망으로 둔갑시키는 마술을 부린다. 이 책에서 우박은 88만원 세대에게 병 주고 약 주는 도사를 자청하고 있다. 불안정한 고용, 비정규직, 재난의 시대를 살게 되는 세대에게 88만원 세대라는 이름을 지어 준 후 못내 미안해 하다가 이제 약을 주고 있는 것이다. 병은 실은 발견이 먼저 되어야 하는 것이고 그런 면에서 그는 순리대로 가고 있다. 내가 이 약이 효험이 있으리라고 강력히 추천하는 이유는 그의 통찰력을 믿기 때문이거니와 무엇보다 그가 20대 당사자들의 목소리를 끌어내는 데 성공했기 때문이다. 교묘한 신자유주의적 질서는 세대 간의 협상이 제대로 일어나야 할 때에 세대 내부를 분열시키면서 승승장구해 왔다. 세대 안의 경쟁에 내몰린 88만원 세대는 개별화된 늑대처럼 자기들끼리 경쟁하면서 서로를 잡아먹으려 했고, 그것을 감당하기 힘든 여린 친구들은 자발적으로 히키코모리가 되고 있다. 자의적, 타의적으로 '방살이' 인생이 되어 가고 있는 것이다.

그런 이들이 방에서 기어 나와 서로에게 다정하게 말을 걸고 있다. 우정과 환대의 공간을 만드는 것이 가능할지도 모른다고 말하고 있다. 얼마나 놀라운 일인가. 우박은 혁명이라는 단어를 던지면서 악몽에서 깨어나 상상을 시작하라고 말한다. 공포에서 벗어나 그냥 자기가 되어 실수도 하고 좌충우돌하라고 한다. 그것이 돈귀신 세상과 맞서는 주문을 찾는 일이라고 말한다. 한국의 시장 근본주의는 아주 짧은 시간 안에 일어났고 그래서 그 돈 귀신의 힘은 아직도 아주 세다. 이 땅에 사는 사람들이 다른 어떤 곳의 사람들보다 서로를 미워하고 모욕을 주면서 불행한 이유가 여기에 있다. 각자 개별화된 외로움 속에서 불행해 하고 있다.

나와 우박이 맺은 '우정'의 품앗이가 '환대'의 두레 마을로 둔갑하는 꿈, 청년들이 맺은 무수한 품앗이와 두레 공동체들이 돈의 순환 체계가 지배하는 사회를 무력화하는 '개벽의 새벽'을 상상해 본다. '우박과 그 아이들'을 통해 혁명이라는 불씨를 선물받은 친구들, 그들이 부는 피리 소리를 들은 이들이 함께 춤추는 꿈을 꾼다. 부모가 돈이 없다고 해서 세 탕의 알바를 뛰어야 하고 수업시간에 졸아야 하는 일이 없는 세상, 남자도 여자도 모두 돌보는 즐거움을 만끽하는 세상, 하고 싶은 일로 돈도 벌고 사회에 좋은 일도 하는 20대 사회적 기업가들로 세상의 빛깔이 달라져 버린 날을 상상한다. 느림, 멈춤, 마을, 환대 등의 주문을 외우면서, 경쟁과 가시적 성과라는 주술에서 벗어나 정의와 아름다움의 세상을 발견한 이들이 사보타지의 신체를 바꾸어 내면서 새벽을 맞이하는 모습을 꿈꾼다.

그러기 위해 필요한 것은, 겁 없이 시행착오를 하면서 그것을 두고 함께 웃을 수 있는 친구들이다. 서로 비빌 언덕이 되는 것이다. 이 책 역시 그 든든한 '비빌 언덕' 중 하나가 되리라. 희극적 언어로 암울한 삶을 바꾸어 낼 그대들은 이제 새판을 짜기 시작한다. 사회를 소생시키기 위해서….

2009년 8월 여름을 보내며 신촌에서 ⋯ 조한혜정

프롤로그

이 책을 읽으려고 잡은 독자 여러분 중에서 한국에 사는 20대라면, 내 이름을 알기는 할 것 같다. 그렇다. 나는 당신들에게 '88만원 세대'라는, 벗어날 수 없는 공포스러운 이름을 부여한 바로 그 사람이다. 그 덕분에 나는 '공포 경제학자'라는 별명도 얻었다. 좋든 싫든 나는 여러분과 한세상 같이 살아가야 할 운명에 처한 것이다.

최근 취업 포털 사이트 스카우트에서 20대 회원 792명을 대상으로 현실을 반영한 신조어가 무엇인지 물었다. 그러자 1등이 이태백이었고, 2등이 88만원 세대였다. 이번에는 가장 마음이 아픈 단어가 무엇인지 물었더니, 88만원 세대가 1등이 되었다. 그런가? 지금 20대가, 가장 마음을 아프게 하는 단어로 88만원 세대를 꼽는구나. 이 단어를 이 사회에 제시한 나 역시 마음이 아팠다.

사실 '88만원'은 우연히 나온 숫자다. 이 숫자를 찾아낸 것은 내가 아니라 함께 책을 썼던 박권일, 즉 당신들과 같은 20대 중의 한 명이었다. 막장 세대, 끝장 세대, 배틀로얄 세대 등 20대를 가리키는 험악한 말들을 좀 피해 제시한 것이 바로 88만원이었다. 그러면 이 상대적으로 부드러운 말이 지금 20대의 상황을 좀 바꿀까? 그렇지는 않을 것 같다.

어쨌든 본의 아니게, 88만원 세대라는 말은 지금의 20대를 가리키는 대명사가 되었다. 그러다 보니 88만원 세대의 변형어들도 생겨났다. 지금 10대들은 자신들을 알바 세대라며, '77만원 세대'라고 부른다. 대학이라도 가야 88만원이라도 받지, 그렇지 않은 10대 아르바이트생들은 77만원 정도 받는다는 것이다. 이런 현실을 지켜보는 내 속은 탄다.

졸저 《88만원 세대》 예상 판매량은 2천 부 정도였다. 아는지 모르겠지만, 한국에서 출판되는 사회과학 책들은 1백 부 이상 팔리기 어렵다. 썩 괜찮은 책들도 500, 1000부 팔리다 만다. 지금 대학생들은 거의 책을 읽지 않는데다 사회과학 책이라면 더 손사래를 치는 게 현실이다. 사실 20대가 사회과학 책을 읽으리라고 기대하는 출판사들은 거의 없었다. 이런 상황에서 2천 부라는 숫자는 출판사가 손해를 입지 않기 위한 최소한의 판매량이었다.

물론 저자로서 나는, 야무지게 '1만 부'는 팔렸으면 좋겠다고 말했다. 그때도, 지금도, 사회과학 출판 시장에서 1만 부는 꿈의 숫자다. 나 역시 언제든지, 5백 부 혹은 7백 부 그러니까 나를 아는 사람들이나 조금 사 주는 수준으로 돌아갈 수 있다. 공지영의 소설 《도가니》는 초판만 10만 부를 찍었다. 사회과학 출판 시장에서 그건 정말 상상하기 어려운 숫자다. 지금도 내 책들은 초판 2천 부, 좀 많아야 3천 부 찍는다. 이 2, 3천 부가 다 팔린다면 A급 저자로 대우받을 수 있다. 5천 부 판매를 장담할 수 있다면, 고종석이나 강준만 같은 특A급 저자가 된다.

그런데 《88만원 세대》가 10만 부 조금 넘게 팔렸다. 단발성 인기라고는 생각하지만, 이건 현기증 날 정도로 놀라운 숫자다. 더 놀라운 것은 책을 가장 많이 사 본 사람이 20대 여성, 그 다음이 20대 남성이라는 것이다. 죽어라고 책을 안 본다고, 출판계에선 아예 '없는 인간'으로 밀쳐놓았던 대학생 그리고 20대들이 이 책을 본 것이다. 이 데이터를 접하면서 내 어깨는 더더욱 무거워졌다.

고백

나는 '현재의 20대', 그들 삶이 해방되길 바라면서 《88만원 세대》를 썼다. 그러나 출간된 지 2년 정도 지난 지금, 해방된 것은 아무것도 없다. 우리 모두 아는 사실이다. 출간 이후에 가장 가슴 아팠던 순간을 말하라면, 나는 망설이지 않고 대졸 신입사원들의 연봉을 20~30퍼센트씩 깎았던 날을 꼽고 싶다. 20대들에게 더 많은 일자리를 주고, 더 많은 월급을 줘도 모자랄 판에 임금을 깎다니! 그것도 《88만원 세대》를 쓴 내가 그 결정에 참여하다니.

《88만원 세대》를 출간하기 몇 년 전부터 나는 어느 한 공기업의 사외이사로 있었다. 그런데 이곳에도 일괄적으로 20대 임금을 삭감하라는 청와대 지시가 내려왔다. 물론 반발이 심했다. 결국 어느 날 새벽 7시에 시내의 한 호텔에서 이사회가 열렸고, 나도 참석해야 하는 상황이 벌어졌다. 노조의 반발을 피해서 호텔에서 아침밥을 먹으면서 하는 이사회, 그런 모임이 벌써 두 번이나 있었고, 한번 더 생기면 사퇴서를 내겠다고 마음먹던 차였다. 그런데 여러 정황이 복잡하게 얽혀 있어, 나도 내가 그렇게 대변하려고 했던 20대, 대졸 신입사원들의 임금을 삭감하게 되는 이사회 결정문에 서명을 하고 말았다. 사퇴하면 그만 아닌가? 물론 그렇기는 한데, 서로 추천해서 움직이는 공기업의 의사 결정 구조가 그렇게 간단하지는 않다. 나는 사인을 하면서 '야, 나에게도 꼼짝달싹할 수 없는 순간들이 오는구나!' 진짜 진퇴양난이라는 말의 의미를 떠올렸다.

이 고백을 하는 이유는, 그만큼 어떤 문제든 이해 당사자들의 상황이 얼기설기 얽혀 있어, 아주 큰 에너지가 없다면 세상을 조금이라도 바꾸기 어렵다는 얘기를 먼저 해 주기 위해서다. 한두 명이 세상을 바꿀 수 없다는 것은 너무나 명확하다. 나처럼 20대 문제를 오랫동안 고민했던 사람도 20대의 임금을 삭감하는 일에 꼼짝없이 사인한 순간이 오지 않았는가. 이 일은 두고두고 나에게도 충격적이었다.

이 책을 쓰게 한 어느 보고서

이 책은 전작인 《88만원 세대》 후속 편 정도에 해당된다. 정확히 얘기하면, 2008년 가을과 겨울 사이에 연세대학교에서 진행된 조한혜정 교수의 〈문화기술지〉라는 수업에서 오고 간 얘기들과 그 학기에 성공회대학교에서 〈환경과 사회〉라는 내 수업을 들었던 학생들과 주고받은 얘기들을 중심으로 정리했다. 그러니까 20대 일반은 아니고, 연세대와 성공회대 일부 학생들, 아주 운동권은 아니고 그렇다고 '삼성에 취직하면 된다.'고 하는 삼성파도 아닌 그런 수준의 학생들과, 지금과 다른 세계를 어떻게 구성할지에 대해 나눈 이야기들이 중심이다. 그러니까 아주 강성의 운동권은 아니지만, 이건 아니라고 문제의식은 있는 조금은 유순한 학생들 사이에서 오고 간 얘기들과 그들이 써서 발표하는 글들을 아주 주의해 들으면서, 일종의 관찰자이자 개입자인 내가 그들의 말과 글들을 내 식의 언어로 나름대로 정리한 것이 이 책의 주요 골자다.

조한혜정 교수와 같이 수업을 진행할 때만 해도, 나는 이 책 출간을 계획하고 있지는 않았다. 그런데 학기 말에 학원강사팀 학생들이 제출한 보고서

(이 중 한 편이 180쪽에 실려 있음)를 보고는 출간을 결심하게 되었다. 한국 학원의 문제점을 진단하고 그것을 해결하기 위한 대안은 여러 가지가 있지만, 그 안에서 비정규직으로 일하고 있는 강사들과 직접 인터뷰한 자료는 나도 처음 보았다. 어느 정도 짐작했던 내용이라도 '날것'의 현실에 부딪히는 순간은, 언제나 잔인하다. 가끔, 괜히 알아봐야 밥 먹을 때 불편하기만 하다면서 식품 안전이나 보건에 관련된 글이나 방송들을 일부러 안 보는 사람들이 있다. 생활인들의 이런 기피증은 이해할 수 있지만, 나는 학자이지 않은가. 눈 감고 싶은 현실도 바로 보아야 할 때가 있다. 그 학생들의 보고서도 나에겐 그랬다. 그리고 나는 그 글을 다른 이들도 읽을 수 있게 해야겠다고 생각했다. 이것이 이 책의 출발점이다.

수업이 진행되는 와중에 금융위기가 터졌다. 미네르바가 구속되기도 했다. 학기가 끝나고 나서도 세상은 가라앉지 않았고, 급기야 노무현 전 대통령이 바위에서 뛰어내리는 전대미문의 일도 벌어졌다. 이런 충격적인 변화 앞에서 도대체 지금의 대학생들은 무엇을 느끼고 생각할까. 그리고 새로운 변화의 실마리를 어디에서부터 찾을까. 이 책은 20대, 그중에서도 대학생들에게 조금 더 초점을 맞춘 일종의 관찰기면서 선언문의 형식을 띠고 있다.

우리 시대의 '약한 고리' 20대

이명박 시대는 난감하다. 명랑을 신조로 살아가는 나 같은 사람도 때때로 명랑해지기 어려우니 말이다. 노무현 대통령의 영결식이 있던 날, 여수에서 한국문화인류학회가 열렸다. 학생들과 함께 학회에 가려고 막 고속도로로 접어들었을 때, 노무현 대통령 장례차와 맞은편 찻길에서 딱 마주쳤다. 길가에서는 사람들이 모여서 꽃을 흔들고 있었다. 그 순간 나는 격변하는 혼돈기 속에 내가 있음을 알았다. 그러면서 여러 가지로 내 인생을 바꿨던 사람, 노무현의 마지막 가는 모습을 지켜보았다.

지금 우리는 모든 것이 점점 나빠지고 있는 시기를 버티고 있는 중인지도 모른다. 지난 1년 반을 돌아보자. 나아진 것이 무엇인가. 공기처럼 여겼던 민주주의가 얼마나 소중한 것이었는지 몸으로 느끼고, 무엇인가 해야 한다고 생각하는 사람들이 더욱 많아졌다는 점 정도가 아닐까.

영화 〈매트릭스〉 2편의 광고가 "무엇을 상상하든 그 이상을 보게 될 것이다!"였다. 나는 이 표현을 참 좋아한다. 지금 우리가 살아가는 시대가 그렇기 때문이다. 사회적 약자들에 대한 잔인함 역시 '상상 그 이상'이다. 시대마다 그 시대에 경제적으로 가장 취약한 '약한 고리'로 표현되는 사람들이 달랐다. 예수 시대의 약한 고리는 과부와 고아들이었다. 가부장이 중심인 농경 시대에 '아버지'라는 것과 단절되어 있기 때문이다. 부처 시대도 비슷했다. 초기 불교 경전인 《중아함경》에서 부처도 과부와 고아를 잘 챙기면 전쟁이 일어나지 않을 것이라고 말했다.

지금 한국에서 경제적인 측면에서 약한 고리는 20대, 여성 그리고 지방 사람들이라고 생각한다. 수도권에 집중돼 있지 않은 미국에서는 지방 사람들 대신에 유색인종들이 약한 고리다. 물론 한국에서는 65세 이상의 노인들 역시 약한 고리겠지만, 그래도 노인들은 투표할 때는 가장 강력하게 힘을 발휘하는 집단이고, 이런 이유로 자신들의 보수적인 성향을 어느 정도 정치에 반영시킬 수 있는 메커니즘도 가지고 있다. 어떻게 보면 한국에서 가장 강력한 정치적인 힘을 쥐고 있는 건 은퇴자 집단일지도 모른다. 그들은 높은 투표율로 자신들의 힘을 증명하고 있다. 그에 비하면 지금 한국의 20대는 적어도 투표로 무언가 결정하는 구조에서는 상대적으로 주도력이 약할뿐더러, 자신들의 리더를 내세울 수 있는 어떤 것도 가지고 있지 못하다.

경제학에서 착취와 수탈은 약간 개념이 다르다. 원론적으로 얘기하면, 착취는 일한 대가를 제대로 지불하지 않는 것으로, 일한 것보다 돈을 덜 줄 때를 말한다. 수탈은 중남미의 대표적인 언론인이자 군사정권에 맞섰던 에두아르도 갈레아노가 유행시킨 개념인데, 보통 제국이 식민지 원주민에게서 그냥 가져가는 행위를 이른다(갈레아노의 《수탈된 대지》를 읽어 봐도 좋을 듯하다). 지금 대부분 한국의 20대가 부딪히는 문제는 착취와 수탈이 혼합되어 있는 형태다. 일을 해도 당하고, 일을 하지 않아도 당한다.

정규직으로 취직이 돼도 이미 공기업을 비롯해서 많은 직장에서 아직 취업도 하지 않은 '다음번 입사자'들의 연봉을 깎아 놓은 상태다. 일이 같더라도 단지 나이가 어리다는 이유로, 하필 이명박 시대에 취업했다는 이유로 적게는 수백만 원 많게는 1천만 원 이상씩 연봉이 깎인 것이다. 아무도 대변해 주지 않고, 아무도 '이게 내 일'이라며 적극 나서지 않는 사이에 뭉텅 연봉이 잘려 나갔다. 원칙적으로 이건 불법이다. 2009년 상반기부터 '고용상 연령차별금지 및 고령자고용촉진에 관한 법률' 흔히 '연령차별금지법'이라는 법률이 새로 시행되었다. 이 법에서는 나이를 이유로 고용과 회사 업무에서 차별하지 못하도록 하고 있다. 그러나 언제 이명박 정부가 법대로 하던가? 북유럽에서는 노동에 관한 한 법보다 앞서 '동일 노동, 동일 임금의 원칙'을 사회적인 원칙으로 받아들이고 있다. 일이 같으면 임금이 같아야 한다는 것인데, 이 원칙대로 움직이는 스웨덴 같은 나라를 우리 현실에선 상상하기 어렵다.

어쨌든, 정규직으로 취직했는데 지난해 입사한 사람에 비해 크게 깎인 임금을 받게 되는 것은 착취다. 그래도 착취는 수탈에 비하면 상급 개념이다. 그냥 뺏어 가는 것은 수탈이라고 했다. 일제가 호남평야에서 나온 쌀을 군산항을 거쳐 자기 나라로 가져간 것을 수탈이라고 하지, 착취라고 하지는 않는다.

비정규직 사람들과 이보다 더 열악한 아르바이트생들이 받는 임금을 보면 착취라고 말하기도 어렵다. 착취일까, 수탈일까. 두 속성을 다 가지고 있다. 일한 만큼 제대로 못 받는 건 착취지만, 4대 보험의 적용을 받지 못하는 것을 비롯해서 사회적으로도 보호받지 못하므로 수탈이라고도 할 수 있을 것이다.

더 밑으로 내려가면, 아예 일하고 싶어도 일하지 못하는 20대가 있다. 이들에 대해 사회는 착취하는 것인가, 수탈하는 것인가. 혹은 이들은 노동을 매개로 작동되는 착취와 수탈에서도 벗어난 해방자인가 아니면 스스로 자유를 선택한 자들인가. 부질없는 말장난은 그만두자. 이들 중 상당수는 히키코모리*이고, 이 상태가 계속되면 '노동을 통한 사회화' 과정을 전혀 거

★ 사회생활에 적응 못해 집 안에만 틀어박혀 있는 사람.

치지 못한 사회부적응자로 전락할 것이다. 청춘을 '수탈'당한 이들은 결국 한국 경제 구조가 만들어 낸 피해자들이다.

그들이 머뭇거리는 이유

《88만원 세대》를 출간하고, 정말로 많은 20대를 집단 혹은 개인적으로 만났다. 한국뿐 아니라 일본 20대들도 만났다. 한국만큼, 아니 오히려 한국보다 먼저 '하류지향' 혹은 '프리터*' 등의 문제에 부닥친 일본에서 20~30대

★ 'free'와 아르바이트의 조합어로, 특정한 직업 없이 갖가지 아르바이트로 생활하는 젊은층을 이름.

아르바이트 인생들과 만났다. 도요타에서 하루아침에 쫓겨난 30대 초반의 파견노동자들과도 만났다. 어느 나라 20대가 더 힘드냐를 기계적으로 비교하는 것은 무리지만, 몇 가지 이유로 나는 한국의 20대가 더 힘들다고 생각한다. 일본 사회는 한국에 비하면 훨씬 합리적이고, 사회적 약자에 대해서도 한국보다 더 민감하게 느낀다. 그리고 결정적으로 비정규직과 아르바이트하는 일본의 20대들에겐 자신들만의 노조가 있기 때문이다.

물론 "죽겠다."며 길에서 소리치고 외치는 것은 일본의 20대다. 일본에서는, 거의 비슷한 시기에 한국에서 책을 출간한 아마미야 카린이나 마쓰모토 하지메 같은 20대 대변자들이 거리로 뛰쳐나왔다. 특히, 5월 1일 노동절에 인디 메이데이라는 형식으로 이들이 이끄는 20대 수천 명이 동경 거리에서 행진을 하면서 '프레카리아트* 운동'의 저변을 넓혀 나가고 있다. 그

★ 불안정성(precarious)과 프롤레타리아트(proletariat)의 조합어로, 불안정한 프롤레타리아트란 뜻. 신자유주의 경제로 인해 불안정한 고용, 노동 상황에 있는 비정규직 사람들과 실업자를 아우르는 말.

바람에 경제관료를 비롯한 고위 정치인들이 일본이 종신고용제를 철회한 것은 잘못된 판단이었다고 소견을 밝히기도 한다. 비정규직 사람들이 총리에게 면담을 요청하면서 총리 관저로 직접 찾아가는 일도 있었다.

이런 흐름에 비하면, 한국은 조용한 편이다. 대부분 20대 특히 대학생들은 아직까지 '침묵하는 다수'다. '누가 고양이 목에 방울을 달 것인가?'라는 질문 앞에서 서로 눈치만 보면서 미루는 형국이다. 이런 상황을 지켜보는 사람들도 답답하지만, 가장 답답한 것은 아마 본인들일 것이다. 구조 앞에서 개인은 늘 나약하다. 그러므로, 구조에는 구조로 맞서는 것이 가장 고전적이고 오래된 해법이다. 하지만 지금 한국의 20대에게는 그들이 움직이거나 기댈 구조가 없다.

한국만의 독특한 상황에서도 이유를 찾을 수 있다. 한국 대학생들은 역사 속에서 늘 어떤 사명을 떠맡았다. 4·19혁명에서 87년 6월항쟁에 이르

기까지, 그들은 자신들 문제를 들고 거리로 나선 적이 없다. 시대의 문제 그리고 다른 이들을 돕고 대변하는, 니체의 말을 빌리면 '초인'과 같은 존재였다. 지금 대학생들이 제 목소리를 못 내는 덴 이런 배경도 있다. 늘 다른 이들을 위해서 목소리를 냈지 자신들을 위해선 그렇게 해 본 적이 없기 때문이다. 그런데 지금 그들이 풀어야 할 문제가 바로 자신들 문제인 것이다. 이 새로운 현실 앞에서 20대 그리고 대학생들은 머뭇거리고 있다.

당사자 운동이어야 한다

많은 이에게 '당사자 운동'이란 개념은 아직 낯설다. 이 말은 '자체 세력화'라는 임파워먼트 empowerment 운동을 일본에서 번역한 것인데, 일본에선 큰 성공을 거두었다. 시민운동은 크게 당사자 운동과 대리인 운동 두 종류로 나눌 수 있다. 90년대 성공을 거두었던 참여연대는 개별 시민들을 대리해서 사회적 권리를 확대시키는 운동을 펼쳤다. 약간 맥락은 다르지만 환경운동의 경우도 대리인 운동 성격이 짙었다. '개도맹'이라는 말이 한때 유행했는데 이 말은 개구리, 도롱뇽, 맹꽁이 같은 보호종을 중심으로 운동을 전개했던 환경운동을 뜻한다. '개도맹'은 도롱뇽이 직접 살려 달라고 말할 수는 없으므로 누가 대신 나서서 보호할 수밖에 없는 대리인 운동의 상징적 용어다.

반면, 장애인운동과 여성운동은 대표적인 당사자 운동이다. 90년대 이전의 장애인운동은 주로 보호자들이나 병원 관계자들을 중심으로 움직였다. 그러나 대리인들이 당사자들을 제대로 대변하기란 쉽지 않았다. 장애인운동이 당사자 운동으로 바뀌면서 가장 맨 앞에 나온 이슈가 '접근권'이었다는 데서도 이런 사실을 짐작할 수 있다. 대리인들은 장애인이 아니었으므로, 휠체어가 접근할 수 있는 시설에 대해선 그다지 신경을 쓰지 않았던 것이다. 그런데 장애인들이 당사자 운동가로 전면에 나서면서 휠체어가 회의장으로 들어갈 수 있느냐 없느냐가 가장 큰 문제로 떠올랐고, 그러면서 접근권이 중요하게 되었다.

나는 20대 운동은 당사자 운동의 성격을 가지는 것이 좋다고 생각한다. 물론 다른 당사자 운동과 분명 다른 점이 있다. 20대 운동은 '당사자'들이 계속 바뀐다는 것이다. 우리는 모두 한때 20대였고, 지금의 20대도 언젠가는 20대가 아니다. 그러니까 20대 운동의 '당사자'는 유동적이고, 비고정적인 의미를 띤다. 물론 이런 점 때문에 지금 한국에서 청년들의 당사자 운동이 자리를 잡지 못한 건 아니다. 그보다 지금 20대는 한번도 운동이 사회활동의 영역으로 존재한다는 것에 대해서 생각해 보지 못하고, 자신이 무엇인가를 바꿀 수 있다는 가능성에 대해서도 생각해 보지 못해서일 것이다.

20대 운동과 가장 이해관계가 깊은 건 오히려 20대보다는 10대일 수 있다. 사회운동으로 법과 제도를 성공적으로 개선할 가능성은 언제나 불투명하다. 무엇보다도 그러려면 시간이 오래 걸린다. 어떤 변화는 1년 안에 가능하지만, 국민경제 시스템을 바꾸어야 하는 경우에는 수년씩 걸리기도 한다. 만약 지금 20대들이 집단적으로 청원해 제도를 바꾼다더라도 자신들이 수혜자가 되기는 어려울 가능성이 높다. 변화를 일으킨 사람이 바로 그 수혜자가 되는 건 쉽지 않다. 대학 등록금 문제가 딱 이렇다. 등록금 인상폭을 약간 줄이는 정도가 아니라 이명박 대통령의 공약대로 등록금을 정말로 반값 혹은 그 이하로 내리려면 많은 제도 개선과 변화가 필요하다. 그런데 정작 그 일에 앞장섰던 사람들은 등록금이 내리는 그 시점에는 이미 대학을 졸업했을지 모른다. 그러나 10대들은 다르다. 지금부터 변화에 참여한다면 몇 년 후 자신들이 대학생이 되었을 때 혹은 취업할 때 그 변화를 누릴 가능성이 높다. 그러므로 10대가 오히려 20대 운동의 당사자가 될 경우도 있을 것이다. 10대가 20대 문제의 당사자라는 점을 이해하면, 사실 20대 운동의 당사자들은 생각보다 범위가 더 넓어진다. 마치 존 롤스가 《사회정의론》에서 얘기했던 것처럼, 영혼들끼리 자신들이 태어날 세계에 대해서 계약을 맺는 것과 아주 비슷한 상황이 20대의 경제사회적 조건을 놓고 지금의 10대들 속에서 벌어질 수 있다.

'꼰대'들의 추억

지나간 시절은 종종 아름답게 치장된다. "80년대에 대학생들은…" 하면서 시작되는 말 중 절반 이상은 '뻥'이다. 마치 당시에는 대학생들이 대부분 운동권이었고, 사회의식도 높았으리라 간주하는 경향이 있는데, 꼭 그렇지는 않다. 그때도 고시생들이 있었고, 노느라 정신 없던 부류도 있었으며, 지독할 정도로 생각이 보수적인 학생들도 있었다. 운동권 안에서 성희롱이 있었고, 다들 쉬쉬했지만 상습적인 성폭력을 묵인했던 마초적 영웅주의가 팽배해 있었다. 최영미의 시집 《서른, 잔치는 끝났다》는 80년대에 종언을 고하는 선언이자 당시 마초들의 성적 폭력에 대한 고발이기도 하다. 자, 그 시절이 좋았을까? 나는 절대로 그 시절로 돌아가고 싶지 않다. 80년대와 지금의 대학 시절 중 하나를 선택하라면, 주머니 속이 더 휑하고 외로울지 몰라도 나는 지금을 선택하겠다. 미워하면서 닮아 간다고, 군부독재와 싸우면서 우리도 모르게 그들 문화에 젖어 들었는지 모른다. 지금에야 그 시절을 '낭만적'으로 표현하지만, 그때 우리는 스스로 '전사'라고 생각하면서 군인처럼 생각하고 움직였던 건 아닐까. 한국에서 '다양성'이라는 말이 오르내린 건 90년대 초·중반 이후다. 그것은 어쩌면 우리가 지나온 80년대 군대식 획일주의에서 벗어나기 위한 최초의 몸부림이었을지도 모른다.

분당되기 전 민주노동당 내부에는 80년대 문화를 그대로 껴안고 살아가는 화석 같은 개인과 집단들이 있었다. 어느 정도 80년대 문화에 익숙하고 구좌파 이론에 익숙할 만큼 익숙한 나도 견디기 어려울 정도로 그들은 완고하고 딱딱했다. 80년대로 다시 돌아가자고? 나는 솔직히 지금 20대들이 그 '꼰대'의 세계로 돌아갈까 겁난다.

민주노총 간부들에게 강의한 적이 있었다. 경험도 넓혀 줄 겸 해서 학생 몇 명을 같이 데려갔다. 강연이 끝나고 자유토론 시간을 가졌는데 그때의 어색함과 당황스러움이라니. 지금도 잊히지 않는다. 학생들은 강성 투쟁장으로 손꼽히는 민주노총 간부들을 처음 만난지라 긴장한 기색이 역력했다. 그런데 "요즘 대학생들은 정말 그래요?" 하면서 자신들에게 이것저것 천진하게 물어 대는 간부들의 모습을 보고는 멋쩍고 충격도 받았던 듯하다. 그걸 지켜보던 나 역시 그러했다. 이렇게 노동자 그리고 이들의 대변자들은 물론이고, 이른바 '민중 단체'에 속한 이들과 대학생들이 서로의 얼굴을 보면서 진지하게 얘기 나눠 본 지가 언제이던가. 참 오래된 것 같다. 노조 간부들이 평범한 대학생들을 만날 기회가 그다지 많을 것 같진 않지만 말이다. 그러다 보니 이 두 개의 집단은 서로 고립되어 있는 셈이다.

아날학파의 대표 사학자 페르낭 브로델이 '시간의 비균일성*'에 대해 얘

★ 모든 역사가 동일하고 균일한 방식으로 진행되지는 않는다는 뜻.

기한 적이 있다. 정말로 그렇다. 70년대를 가슴에 담고 사는 사람, 80년대를 끌어안고 사는 사람, 가슴에 담을 시대가 전혀 없는 사람 등 현재 2009년 한국이라는 같은 공간에 있지만 우리는 서로 다른 시대를 살아가고 있는

지 모른다. 직업과 계층에 따라서도 시간이 다 다르고, 대구의 시간과 광주의 시간 등 공간에 따라서도 시간이 다르다. 서울의 시간과 같은 시간은 전국 어디에도 없다. 이런 우리가 문득 '같은 세계에 살고 있다'고 절감하는 순간은 텔레비전에서 이명박을 볼 때뿐 아닐까. 이런 일이 아니고선 우리는 섬처럼 흩어져 외롭게 살아가고 있다.

혁명, 그 늙지 않는 파토스

2008년에 한국에서 가장 많이 팔린 티셔츠 로고는 'I ♡ NY 뉴욕을 사랑한단 뜻'으로, 일본의 대표적인 패션 의류업체 콤 데 가르송이 만든 것이다. 두 번째로 많이 팔린 티셔츠 로고는 동성애자로 유명한 마크 제이콥스라는 디자이너가 만든 'Paris 1968'였다. 두 디자인 모두 우리에겐 상징적이다. 연일 촛불집회가 열리는 가운데, 콤 데 가르송이라는 프랑스어로 된 이름을 가진 일본의 패션 상징과 프랑스 68혁명 정신을 새긴 미국의 패션 상징을 모두 소비하고 있었으니 말이다. 물론 뉴욕을 사랑하든, 68혁명의 파리를 사랑하든, 이러한 티셔츠 로고가 현실을 바꾸지는 않는다. 그러나 한번쯤 생각해 보는 것도 좋을 것이다. 마크 제이콥스와 함께 혁명의 시기가 다시 돌아오고 있다는 것에 대해서는.

지금 20대 중에서 이 '혁명'이라는 단어에 대해서 진지하게 생각해 본 사람이 있는지 모르겠다. 혁명에는 두 종류가 있다. 러시아 혁명처럼 자본주의에서 사회주의로 전환하기 위한 혁명이 한 종류고, 68로 상징되는 세계를 뒤엎었던 상상력의 혁명이 또 한 종류다. 물론 그 어느 쪽이라도 '혁명'이라는 말은 그 자체로 상상력의 클라이맥스다. 만약 최고의 혁명가 한 사람을 꼽으라면 여러분은 누구를 꼽으시겠는가? 레닌인가, 체 게바라인가, 모택동인가. 혹은 비운에 쓰러져 간 녹두장군 전봉준을 꼽으시겠는가.

나라면 주저 없이 1971년에 죽은, '코코'라는 애칭으로 불린 가브리엘 샤넬을 꼽겠다. 최고의 명품 브랜드 샤넬을 만든 바로 그 샤넬 말이다. 지금 우리에게 샤넬은 제조 원가와 상관없이 터무니없이 고가로 팔리는 브랜드 정도로만 알려져 있다. 하지만 샤넬은 여성을 해방시킨 전사였다. 그녀는 여성들의 몸을 옥죄던 속치마 페티코트와 코르셋에서 여성들을 해방시켰고, 샤넬 스타일이라고 부르는, 장식을 배제한 활동성 높은 옷을 여성들이 입을 수 있게 해 주었다. 남자들의 정치적 혁명은 역사 속에서 아픔만을 남겨 준 채 사라졌지만, 샤넬이 이뤄 낸 혁명은 아직도 계속되고 있다. 샤넬이 무엇을 하고 싶었는지, 어떤 미래를 꿈꾸었는지 지금 우리는 생각하고 있지 않지만, 여성용 바지 정장을 비롯해서 카디건에 이르기까지, 이런 의상 양식들은 샤넬이 혁명이라고 생각하면서 창조해 낸 일종의 문화 운동에서 시작된 것이다. 샤넬을 명품 브랜드 정도로만 여겼던 남성이라면, 이제 '문화' 측면에서 다시 한번 생각해 보기를 권한다.

여성이 재산상속권을 갖게 된 지 1세기도 안 되고, 투표권을 갖게 된 건 50년도 안 된다. 스위스에서는 1971년에야 여성에게 투표권이 주어졌다. 바로 샤넬이 죽은 그해, 비로소 스위스 여성들은 그들이 자랑하는 직접민주주의의 투표권을 가지게 된 것이다. 그러니 샤넬이 얼마나 선구적으로 여성들을 해방시킨 존재인가.

우리는 그냥 명품이라고 간단히 말하지만, 맨 앞에 서서 패션 디자인을 이끌어 가는 사람들은 스스로 혁명가라고 생각했다. 그들은 위계에서 개인을 풀어 주려고 했고, 물질에서 표상을, 남성에게서 여성을 독립시키고 싶어 했다. 그리고 성적 소수자를 비롯한 소수자운동의 맨 앞에 서 있기도 했다. 마크 제이콥스만 봐도 동성애운동의 맨 앞에 서 있는 디자이너다. 촛불 집회 한가운데에서 그의 손에서 발견된 'Paris 1968'이 열렬히 소비된 것은 혁명의 힘일까 아니면 단순한 마케팅의 여파일까?

나는 한국의 여성들 혹은 디자이너 중에서 샤넬 같은 이가 나오기를 고대한다. 샤넬의 옷을 사 입는 사람이 아니라, 바로 그 옷을, 그 새로운 양식을 디자인했던 샤넬 같은 사람이 나오기를 아주 간절히 바란다. 샤넬 복제품이 아니라 스스로 샤넬이 되는 디자이너가 등장하기를, 여성들이 페티코트를 벗고, 바지를 입고, 간편한 슈트 정장을 입게 새로운 변화를 창조해 낸 그런 혁명가들이 나오기를 말이다. 특히 지금 20대 중에서 그런 혁명가가 나왔으면 좋겠다. 가슴속에선 여전히 80년대를 놓아 주지 못했으면서 입으로만 "너희가 혁명을 아느냐!"고 잘난 척하는 '꼰대'들 속에서 샤넬이 나올 수 없다는 것은 너무나 자명하지 않은가.

'쫄아 있는' 당신들, 혁명을 꿈꾸라

《88만원 세대》 상징은 두 가지였다. 바리케이드와 짱돌. 조금이라도 역사를 공부한 이들이라면 알 것이다. 바리케이드는 프랑스혁명을, 짱돌은 87년을 상징한다. 기계적으로는, 지금 한국의 20대가 자신들을 지켜 줄 바리케이드와 지금보다 더 나아지기 위해 '전진'하는 데 필요한 짱돌을 가지기 바란다는 의미였다. 그렇지만 실제 담고 싶었던 내용은 세계사에서 근대국가를 형성할 때 출발점이었던 프랑스의 바리케이드와, 한국에서 80년대에 '반봉건' 국가를 변화시키는 상징 수단으로 등장했던 '짱돌'을 결합해, 세계적인 동시에 한국적인 새로운 출발점을 만들어 보고 싶다는 작은 바람이었다. 그래서 그것이 우리식의 68혁명이 되면 좋으리라 생각했다. 그러나 역시 나의 상징 결합 능력은 그다지 뛰어나지 않아서 오히려 20대들에게 더 절망감만 안겨 준 건 아닐까 싶어 출간된 뒤 무척 미안했다.

책을 읽은 많은 대학생이 나에게 '짱돌'을 누구에게 던져야 하느냐고 물었다. 그 대상을 제대로 지목하지 못하면, 나에게라도 던질 기세였다. 물론 나에게 던져 봐야 아무 일도 일어나지 않는다. 그들은 분노하고 있었다. 그렇다. 시멘트와 불도저가 지배하는 지금 한국에 그깟 짱돌을 던져 뭘 어쩌겠는가. 그들의 질문과 분노는 정당하고, 당연하다.

책이 나온 뒤 대학교에서 헤아릴 수 없을 정도로 많이 강연하고, 학생들도 직접 만나면서 결국 내가 발견한 것은 '혁명의 파토스'가 지금 한국의 20대에게는 아직 없다는 것이다. '혁명'은 아마도 인간이 만들어 낸 말 중 가장 격정적이고, 가장 많은 상상력을 집약시킨 것이 아닐까 싶다. 그러나 지금 20대는 그 말을 감당해 낼 힘이 없다. 그들은 지나치게 겁에 질려 있고, '쫄아 있다.' 좀 심하게 얘기하면, 지금 대학생들은 한 과목에서 F만 나와도 자신이 인생 낙오자고, 사소한 실수로도 취업에 실패할 수 있으며, 정말로 의미 없는 삶을 살게 되리라 두려워하는 것 같다. 그렇다면 이렇게 겁에 질려 있는 집단을 어떻게 끌어내 좀 멀리 넓게 현실을 보게 할 것인가?

일본이 촘촘하고 빡빡한 사회라면, 한국은 그보다는 듬성하고 엉성한 사회다. 한두 번 실패하더라도 아무 일도 일어나지 않는다. 일본에 비하면 아직까진 대충 살아가도 되는 사회다. 그런데 누가 이런 사실을 20대들에게 말해 줄 것인가. 그들에게 상상력을 다시 찾아 주고, "마음껏 살아도 괜찮아!"라며 격려할 수 있는가. 잔뜩 주눅 들어 있는 이들에게 어깨에 힘 빼고 가볍게 등판하는 투수가 되라고 말해 주려느냐는 말이다.

지금 한국 대학생을 딱 두 부류로 나눈다면, '절망하는 존재'와 절망도 하지 않는 '절망적인 존재'로 나눌 수 있을 것 같다. '절망하는 존재'들은 그들 뿐만이 아니라 우리 모두의 미래가 지금 절망적이어서 이해가 된다. 지금과 같은 현실에서 절망하지 않는다면 그게 더 이상할 것 같다. 그러나 절망도 하지 않는다면, 상황 인식 능력이 지나치게 떨어진, 그야말로 '절망적인' 존재일 것이다. 그렇지만 나는 대학생들이 이렇게 절망도 하지 않는 절망적인 존재라고는 생각하지 않는다. 그들도 대부분 무엇이 문제인지는 안다. 다만 그 문제를 해결할 수 있는 돌파구가 지금 눈에 보이지 않고 손에 잡히지 않는 것뿐이다.

지금 한국의 20대들에겐 진도 없고, 지휘자도 없고, 영웅도 없다. 그들은 유비가 아니다. 설령 관우나 장비 정도의 전투력을 갖춘 이들이 간간이 섞여 있을지 몰라도 어쨌든 도원결의와 아주 거리가 먼 세상을 살고 있고, 세상을 관망하고 있음이 분명한 제갈량 같은 이에게 삼고초려를 할 삼형제도 아직 세상에 나오지 않았다. 그뿐이랴. 장판교에서 유비의 아들을 안고도 포위망을 뚫고 나왔다는 '조자룡 헌 창 쓰듯이'의 바로 그 조자룡도 도저히 있을 것 같아 보이지 않는다.

아, 이건 20대 문제만은 아니다. 명박 시대를 살아가면서 우리는 다 조자룡 같은 맹장이 등장해서, 이 숨 막히는 포위망을 뚫어 주기를 바라고 있다. 한국에 조자룡이 있을까? 있다면 진중권이나 박노자 정도일 텐데, 그들의 패기는 단연 조자룡급이지만, 포위망을 뚫는 전투력도 그런지는 모르겠다.

움츠리고 웅크려 있는 20대들에게, 특히 대학생들에게, 나는 '혁명'이라는 단어의 생동감을 돌려주고 싶다. 아, 걱정 마시라. 혁명하라는 거 아니다. 군사놀이하라는 것도 아니다. 내가 혁명가라면, 우리가 살고 있는 이 시대에 혁명이 일어난다면, 내가 정말로 혁명의 일원이 된다면 따위 질문들을 자신에게 던져 보는 건 어떠냐고 말하는 것이다. 나는 여러분에게 마르크스나 레닌이 되라고, 80년대의 '비장한' 학생 투사가 되라고 얘기하고 싶지는 않다. 시대는 변했고, 양식과 양상도 변했다. 세상은 전혀 달라졌다. 그러나 혁명이라는 매력적인 단어를 잃어버리고 살아가는 젊음은 좀 불행하지 않은가. 이 사실을 환기시켜 주고 싶었다. 또한 여러분을 꽉 막힌 틀에 가두어 길들이려는 세상 속에서 '혁명'이란 말에서나마 숨통을 틔우라고 말해 주고 싶었다.

부디, 샤넬과 같은 성공한 혁명가가 여러분 중에서 몇 명이라도 나오면 좋겠다. 진심이다.

1장

신자유주의의 자식들

군인 영웅 시대

20세기는 참 재밌는(?) 시대다. 나는 19세기가 더 격동적이었다고 생각하지만, 재미로만 치면 20세기를 따라잡을 시대는 없을 것 같다. 또 20세기는 우정이 넘치던 시대였다. 냉전의 시기에 자본주의 국가들은 자본주의 국가들끼리, 사회주의 국가는 사회주의 국가들끼리 돈독히(?) 우정을 쌓지 않았던가. 20세기 전반부에는 두 차례에 걸친 세계대전으로 세상이 반으로 동강 날 뻔했고, 나머지 후반부에는 두 체제가 핵으로 경쟁하면서 지구 곳곳에 핵무기를 채워 놓아 정말로 지구를 산산조각 낼 뻔도 했다.

노동자 삶을 변화시킨 '영광의 30년'

경제학자 눈으로 봤을 때 20세기에서 가장 특징적인 시기는 2차 세계대전이 끝난 1945년부터 1차 석유파동이 일어난 1974년까지 30년간이다. 이때를 보통 '영광의 30년'이라고 한다. 전후 복구를 위해서 엄청난 물자가 투입되면서 경제가 매끄럽게 잘 돌아갔다. 또한 자본주의 국가들은 사회주의 국가에 혹시 한 나라라도 빼앗길까 봐 자기들끼리 똘똘 뭉쳤다. 이 시기는 '대량 생산 대량 소비의 시대'이기도 했다. 이런 시대를 연 결정적인 것이 포드 자동차의 컨베이어 벨트 방식에서 비롯된 '포디즘'이다. 폴 쿠르그먼은 이 시기 미국을 '대압축 시대'라고 했는데, 부유층과 하위층의 격차가 별로 나지 않았기 때문이다. 이 영광의 시기가 한국에선 80~90년대였다.

이 영광의 시기를 갈브레이드는 '풍요의 시대'라고 했다. 그만큼 서구 노동자들은 이전엔 꿈도 못 꾸었던 호사를 누린다. 노동자들도 자가용을 굴리고 자기 집을 소유하게 된다. 노동자들이 자가용을 가진다는 건 상상도 못했던 일이었다. 더욱이 노동자들은 카리브 해를 비롯한 전 세계로 투어리즘이라고 불리는 관광여행도 떠나기 시작했다. 노동자들이 비행기를 타고 몇 주씩 해외여행을 간다는 것 역시 2차 세계대전 이전에는 꿈도 꿀 수 없었던 일이었다. 그뿐인가. '복지국가'라는 이념으로 선진국들은 자국의 노동자들에게 주택비, 육아비 따위를 지원하고 공공의료, 연금제도 실시했다. 비록 개개인의 개성이 존중되지는 않았을지라도, 인류 역사상 가난한 사람과 노동자들특히 서구 노동자들이 가장 큰 혜택을 입었던 시기였다. 세상은 멈추지 않는 공장처럼 쌩쌩 돌아갔다. 한국 광부와 간호사들이 독일로 건너간 것도 이 무렵이다.

이런 배경에서 이 시기에 등장한 개념 중 하나가 '귀족노동자'다. 원래 이 개념은 중남미식 마르크스주의인 종속이론에서 나왔는데, 노동자들이 받는 고액의 월급과 그들이 누리는 복지가 실은 중남미와 아프리카에서 저질러진 경제적 수탈에서 비롯되었음을 지적한 것이다. 그런데 한국에서는 웬일인지 보수 신문들이 이 개념을 자주 쓴다. 기이한 일이다.

이 시기를 경제학자들은 '케인스 시대'라고 한다. 이 시대 목표는 자본주의가 사회주의보다 우월하다는 것을 보여 주는 데 있었다. 그러다 보니 국가가 시장 앞에서 자신의 권위를 내세워 예산을 조정하고, 복지 장치들을 만들었다. 즉 국가가 경제를 어떻게 디자인할 것인가가 매우 중요했으며, 각 국은 서로 다른 형태로 국민들에게 어떻게 '퍼 줄' 것인지를 고민했다. 박노자의 설명을 빌리면, 풍요로운 시대였는데도 많은 국민은 사회주의를 선호했고, 이 때문에 당시 북유럽의 우파들은 국민들이 정말로 혁명을 일으키는 일이 없도록 하려고 더 많은 복지 정책을 약속했다고 한다.

이 시대 영웅들은 이런 일들을 해낸 관료와 정치인들이었다. 라인강의 기적을 이루었다고 칭송받는 독일의 아데나워 수상이 대표적이다.

영광의 '군인' 시대

서구에서 '영광의 30년'이 흘러가는 동안 한국은 군인들이 통치하고 있었다. 군인들이 국가를 사실상 소유하고 있었다. 박정희에서 김종필에 이르는 이 일련의 정치군인들은 복지국가를 내세운 케인스 시대의 패러다임에 적응하기 위해 애썼다. 그 노력의 일환으로 대기업 시스템을 철저히 통제하면서 개발도상국으로서는 거의 마지막으로 그 시대에 합류하려던 중이었다. 이 시기 한국에서 영웅들은 단연 군인들이었다. 그래선지 어릴 때 우리 집에 들른 친척 어른들은 훗날 내가 군인이 되기를 바라셨다. 나를 두고 벌어진 그 양반들의 유일한 논쟁거리는 그저 내가 육군사관학교에 가는 것이 좋을지, 공군사관학교에 가는 것이 좋을지였다. 예를 들면, 약시라서 다섯 살 때부터 안경을 끼었으니까 조종사가 되기는 좀 어렵지 않겠느냐는 의견 정도가 있을 뿐, 커서 훌륭한 군인이 되리라는 사실에는 추호도 의심하지 않는 듯했다.

이 어른들이 바로 유신세대다. 좋든 싫든, 이 유신세대 즉, 군인들의 시대를 살았던 분들은 군인을 최초의 메시아로 받아들였고, 케인스 시대를 군인의 시대로 이해했으며, 유신 경제를 케인스 경제로 알고 지냈다. 냉전 시대도 끝났고 사회주의도 사실상 사라졌으나 이들은 지금도 때때로 군복을 입고 시청 광장에 나타난다. 정몽준이 말한 '아스팔트 우파'인 이들이야말로 진정한 '박정희의 자식들'이다. 서구에선 공무원이나 관료가 존경받았던 그 시기에 한국에선 군인의 시대가 활짝 열렸던 것이다. 2007년 대선은 누가 과연 '재림 박정희'인가를 가리는 선거가 아니었나.

CEO 영웅 시대

한국에서 군인의 시대는 노태우 대통령을 마지막으로 끝났다. 다음 시기로 전환되던 중에 '법조인'이 영웅인 시절이 잠깐 펼쳐진다. 현실적으로 국가 권력을 움직이는 힘 중에서 가장 맨 앞에 있던 공안 검사들을 중심으로 법조인들이 뭉쳤다. 세간의 얘기대로라면 육사의 권력을 서울대 법대가 움켜 쥔다. 군인이 국가를 움직이던 시대에서 검사나 변호사들이 움직이는 시대로 바뀐 것이다. 세 번이나 대선 후보로 나왔던 이회창 그리고 비운의 객이 된 노무현까지, 어쨌든 군인들이 쥐던 권력을 민간인인 법조인들이 갖게 된다. 이 여파로 검찰 개혁이라는 해묵은 숙제가 여전히 남아 있다. 군인은 물러갔지만, 법조인들은 아직 물러나지 않았다.

그러나 군인에서 법조인으로 이어진 케인스 시대는 한국에서도 90년대 후반부터 해체되기 시작한다. 이것은 한국에서만 벌어진 일이 아니다. '워싱턴 컨센서스'라는 90년대 초·중반, 미국 정가에서 유행했던 일련의 시장 근본주의가 시대적 대세가 되었다. 경제학자 존 윌리엄슨의 89년 저서에서 처음 등장한 워싱턴 컨센서스란 말은 이후 세계화와 금융화를 중심으로 전세계로 퍼져 나가는데, 이러한 흐름을 보통 '신자유주의'라고 한다.

이 신자유주의는 경제학자 하이에크에서부터 시작되었다고 할 수 있다. 하이에크는 평생에 걸쳐 사회주의자와 논쟁했으며, 시장을 자기 스스로 질서를 찾아 나가는 '자기진화적 시스템'으로 생각했다. 그리고 하이에크 제자인 밀턴 프리드먼*이 중심이 되어 케인스주의자와의 전쟁을 평생의 사명

★ 감각적이며 섬뜩할 정도로 예리하게 현실을 분석하는 나오미 클라인이 쓴 《쇼크 독트린》을 보면, 밀턴 프리드먼이 신자유주의 체계를 구축하는 데 실제로 어떠한 역할을 했는지 자세히 나와 있다.

으로 여긴 경제학자들이 등장하는데, 이들은 보통 자신들을 '통화주의자'라고 불렀다. 케인스 제자들과 하이에크 제자들은 70~80년대 그야말로 일대 전쟁을 벌인다. 그 와중에, 미국 레이건 대통령이 공급주의 경제학을 골조로 하는 레이거노믹스*를 들고 나오고, 대서양 건너편에서는 대처 수상이

★ 레이건 행정부가 추진한 시장 중심의 경제 정책. 레이거노믹스의 핵심은 통화주의다. 통화주의는 통화 공급이 중심인 통화 정책을 통해 경기를 조절하면서 인플레이션을 잡는 것이 목표다.

매우 강력한 대처주의와 민영화를 들고 나오면서, 하이에크 진영에 힘이 실렸다.

워싱턴 컨센서스로 인한 시장 근본주의, 세계화 그리고 금융화라는 서로 다르게 전개되는 이 세 가지 흐름이 90년대 초반, '세계화 4거리'에서 합류해서 한 방향으로 진군한다. 그리고 그 길 위로 다국적기업들이 달려간다. 이렇게 해서 90년대 중·후반을 거쳐 다국적기업의 시대가 열린 것이다. 만약 한국에서 이 흐름이 시작되었다면, 재벌의 '오너'들이 전면에 나섰을 테지만, 소유와 경영이 분리돼 있는 외국에서 시작되었기 때문에 CEO들이 시대의 영웅이 되었다. 여기서의 CEO는 중소기업이나 지역경제를 기반으로 활동하는 지역기업이 아니라, 여러 나라에 걸쳐 기업 기반을 가지고 있는 대기업의 CEO를 뜻한다. 클라이슬러를 살려 낸 아이아코카와 마이크로소프트의 빌 게이츠를 시작으로 일련의 CEO들이 국제적 영웅이 되었고, 사람들은 이제 케인스 시대가 해체되고, 또 다른 무언가가 흘러오고 있음을 깨닫기 시작했다.

IMF 이후 찾아온 CEO. 영웅 시대

이러한 CEO의 시대가 한국에서는 IMF 경제위기 이후 본격적으로 열린다. 경제 혼동기에 새 천 년을 맞으면서 찾아왔다. 그 뒤 10년 동안 한국은 사회 모든 것을 CEO에 맞추기 위해서 발버둥쳤는지 모른다. 그 내용이 뭔지도 잘 모르면서 장관이나 정부기관의 장들은 'CEO형 리더십'을 얘기했고, 심지어는 대학들까지도 CEO처럼 되어야 한다며 앞다투어 'CEO형 총장'을 시대의 처방으로 주장하였다. 이러는 와중에 CEO가 사회 영웅으로 등장했고, 많은 중·고등학교 학생들은 자연스럽게 장래 희망란에 CEO라고 적기 시작했다.

반기문 UN 사무총장 자리는 원래 〈중앙일보〉 CEO 출신인 홍석현을 염두에 두었던 것이라는 소문이 있었다. 만약 X-파일 사건이 없었다면, 한국은 CEO 출신을 UN 사무총장 후보로 추천했을 가능성이 높다. 노무현 대통령이 "권력은 이미 시장에"라고 말한 적이 있지만, 어쩌면 권력은 시장에 간 것이 아니라 시장을 상징하는 CEO에게 가 있었던 것인지 모른다.

노무현 정권 초기에 MBC에서 방송된 드라마 〈영웅시대〉는 천태산과 국대호를 내세워 한국 재벌의 형성 과정을 다루었다. 유동근이 연기한 박대철 모델은 당시 이명박 현대건설 사장이었다. 드라마만큼 시대의 변화를 정확하게 얘기해 주는 매체도 드물다. 군인에서 시작된 대한민국 현대의 영웅은 법조계를 지나 이제 CEO라는 매우 특수한, 지극히 현대적인 영역에 이르러 있다. 이명박, 홍석현은 물론이고 지금도 여전히 한국 공대생들의 영웅인 진대제, 현대자동차 CEO였던 이계안 같은 이들이 CEO 영웅으로 자리 잡았다. 그리고 그 절정기에 이명박이 대통령이 되었다.

지금 대학생들은 이렇게 CEO가 영웅이 되어 가는 시기에 10대를 보냈다. CEO의 리더십이라는 것에 대해서 이들이 거부감을 갖지 않는 건 어찌 보면 당연하다. 이건 한국만의 현상이 아니다. 신자유주의가 절정기로 치닫던 지난 10년간, 한국만이 아니라 대부분의 나라에서도 CEO들이 영웅 대접을 받았다. 그리고 많은 이가 그들에게서 배우려고 한다.

그런데 머리로 신자유주의를 이해한 사람과 신자유주의를 내면화한 사람은 약간 다르지 않을까. 군인의 시대와 CEO의 시대, 이렇게 서로 다른 시대가 전개되었는데도 지금의 50대들은 CEO가 곧 군인이라는, 묘한 등식을 갖고 있다. 이런 점에서 정치인 이명박의 마케팅은 성공했다고 생각한다. 이명박은 선글라스까지 동원해서 가능한 한 박정희처럼 보이려고 외모를 연출했는데, 그것이 득표에 영향을 끼쳤다. 이것은 탱크가 불도저로 바뀌었을 뿐 군인 시대의 강력한 추진력이 다시 등장했음을 상징적으로 보여준다. 한국의 50대에게 이명박 대통령은 'CEO＝군인'이다. 한국의 50대들은 신자유주의 시대를 살아가고 있지만, 마음까지 그런 건 아니다. 군인과 권위주의의 시절을 못 잊고, 케인스주의를 바탕으로 나라 살림을 꾸린 국가를 '신의 대리자'로 믿는다. 정부가 하는 일을 '나라님' 일로 여겨 싫어도 잘 따르지만, 이게 아니다 싶으면 건의하고 항의하기도 한다. 이들은 평생을 군인의 시대 속에서 살아와서 신자유주의 시대가 펼쳐졌더라도 시장의 작동 방식으로 움직이지 않는다. 그러나 지금의 20대는 이들 50대와 조금 다르다.

육화된 신자유주의

신자유주의를 경제 운용 방식으로, 그러니까 거시적으로 분석하면 지금 우리가 이해하는 것과 조금은 다른 얘기들이 나올 수 있다. 케인스 시대에는 국가가 직접 경제에 개입해서라도 자본주의가 사회주의 그리고 코민테른보다 우수하다는 것을 알리려고 애썼다. 뭐, 이런 거다.

자본주의가 불편하다고요? 하지만 러시아의 그 황당한 삶보다는 이게 더 낫지 않나요? 그러니 망설이지 말고 이걸 선택하세요. 제발, 사회주의가 낫다고는 말하지 말아 주세요!

흔히 케인스의 경제 체계를 '수정 자본주의'라고 한다. 자본주의의 우수성을 보여 주기 위해 사회주의와 경쟁하는 과정에서 원래 자본주의에는 없던 많은 복지와 후생 장치들을 만들어 넣었기 때문이다. 물론 한국의 복지와 후생 장치들의 탄생 배경은 조금 다르다. 지금 우리가 알고 있는 대부분 복지 제도, 예를 들어 이명박 정부가 틈만 나면 해체하려고 하는 의료보험 제도만 해도 박정희 때 만들어져 전두환, 노태우 정권 때 확대 실시되었다.

한국 우파들이 무척 자랑스러워 하는 이런 복지 제도들은 실은 대부분 군사 정권이 민중들에게서 정권의 정당성을 인정받으려고 만든 것이다.

　신자유주의라는 이 특별한 시장 근본주의는 동유럽 사회주의 국가들이 무너진 90년대 초·중반에 본격적으로 움직이기 시작했다. 자본주의로서는 더는 적이 남아 있지 않은 상황이었다. 이런 점에서 신자유주의는 자본주의 내부의 약자들에겐 잔인한 경제 시스템이다. 그들이 탈출구로 생각할까 봐 두려워했던 사회주의 국가들이 이미 무너져, 국가로서는 굳이 그들에게 뭘 더 해 줄 이유가 사라졌기 때문이다. 이제 국가는 집회, 시위 등 내부 약자들의 저항만 해결하면 되는 것이다.

신자유주의와 20대

지금의 20대가 처음으로 만난 사회는 이런 배경에서 탄생한 시장 근본주의가 절정기로 치닫던 시기였다. 세상은 그 어느 때보다 더 시장 근본주의로, 이른바 화폐 페티시즘fetishism으로 향하고 있었다. 이런 현상을 한마디로 보여 주는 것이 "부자 되세요!"라는 광고 문구다. 이 말은 IMF 이후 거의 유일하게 모두 합의할 수 있는 가치로, 변화된 사회를 단적으로 보여 준다.

　'부자 되라'는 말은 생각보다 더 잔인하다. 부자가 아니면 사실상 대한민국에서 '시민권'이 없다는 그리스 시대의 경구를 되살리는 말이기도 하고, 이 말을 인사말로 주고받으면서 너도 부자가 아니고 나도 부자가 아니라는 사실을 서로에게 환기시키기 때문이다. 그러니 참 공허하지 않은가. 당신이 부자가 아니라는 것을 내가 잘 알고 있고, 그래서 당신이 지금 행복하지 않다는 것 역시 내가 잘 알고 있는데 말이다. 그런데도 이런 '부자 되세요'라는 말이 사회에서 최고 경구가 된 시대, 그것이 지금 20대가 10대를 보냈던 공간이다.

거시적으로 보면 한국 경제는 신자유주의와 조금 거리가 멀다. 권위주의와 결탁된, 뭔가를 지었다 부수었다 하는 걸로 먹고사는 토건국가로 향하고 있다고 보는 게 더 정확하다. CEO라고는 하지만 일반적인 의미의 다국적 기업이 아닌 건설회사의 CEO가 권력을 잡고, 지방 토호들과 손을 잡으면서 무조건 토건사업을 벌이고 있다. 이 시기는 '잃어버린 10년'이라고 표현되는 일본의 90년대 버블 공황기와 비슷하며, 아무도 그러한 일본의 90년대를 신자유주의 시대라고 부르지 않는다. 일본의 신자유주의, 즉 그들 표현대로 '네오 리베'라고 부르던 시기는, '잃어버린 10년' 이후 우정국 민영화로 상징되는 고이즈미 총리가 열었다. 대체적으로 한국이 10년 정도 늦게 일본을 따라잡는다는 사실을 감안하면, 우리가 지금 만난 경제 구조는 본격적인 신자유주의가 아니라 대단히 동아시아적인 토건국가 혹은 하이퍼 hyper 토건국가의 형태라고 할 수 있을 것 같다.

그러나 미시적으로 상황을 들여다보면, 한국은 지난 10여 년간 자본주의 역사에서 어떤 선진국도 겪지 못했을 정도로 지독하게 신자유주의적이었을 지도 모른다. 그건 교육이 낳은 승자독식 체계와 학벌주의 같은 것만 보아도 알 수 있다.

저기, 신자유주의가 걸어가고 있다!

'마이크로 신자유주의'라는 개념을 사용한다면, 이는 이념으로서 신자유주의 혹은 이념으로서 시장 근본주의 정도로 정의할 수 있다. 어떤 면에서는

'몸의 신자유주의'라고 부를 수도 있을 것이다. 실제로 국민경제가 신자유주의적이었는가와는 상관없이 지난 10여 년간 한국인들은 충분히 신자유주의적인 질서에 순응하며, 시장 근본주의를 세상의 근본 원칙으로 내면화했다. 그리하여 이 시기에 많은 사람이 마음도 신자유주의, 몸도 신자유주의인 시대를 보냈다.

이렇게 신자유주의가 사람들의 몸과 마음을 갉아먹은 원인이 모두 '교육'에 있다고 누가 말한다면 정말로 그렇다고밖에 말할 수 없을 것 같다. 한국의 실제 시장은 짜고 치는 고스톱 판이다. '지대추구이론*'도 아주 잘 먹

★ 사회의 어느 특정 부문에 돈이 많이 들어가면, 어느 순간 그 부문은 본래의 임무보다 자기 활동 자체를 늘리기 위한 일들에 매진한다. 그리고 이것이 자기 권익을 지키기 위한 일들로 이어진다는 것. 우리는 공무원들이 국가를 위해서 일해야 한다고 믿지만, 많은 경우 공무원들은 국가가 아니라 자기 부처를 키우기 위해서 일해야 한다. 자신들이 차지하고 있는 부처와 자리가 일종의 '지대'를 만들어 내기 때문이다.

힌다. 따라서 한국 사회에선 자신의 사업을 넓혀 나가려면 힘깨나 쓰는 사람을 친구로 두면 된다. 시장의 공정한 질서와 아무런 상관없이 말이다. 그러나 아무도 세상이 이렇다고 설명하지는 않는다. 사교육을 통해서 경쟁에서 이기는 법을 체득한 사람들은 '더 많은 학원비'가 공정한 경쟁을 가로막는다고 생각하지 않기 때문이다.

누가 그렇게 하지 말라고 했어?

지난 10여 년간 대부분 교육공무원들은 부모의 재산에 따라 성적이 차이 나는 세상을 만들지 않으려고 노력했다. 그것이 '수능시험'의 정신이기도 했다. 하지만 현실은 그것과 거리가 멀었다. 불공정한 경쟁을 받아들이고 그 경쟁의 수혜자가 되려던 것이 한국에서 진행된 '마이크로 신자유주의'의 본질이다.

그렇게 중·고등학교 시절을 보낸, 지금 20대의 맨 앞에 서 있는 이른바

엘리트들, 스카이* 대학 학생들은 대부분 누구보다 먼저 이념으로서 신자

★ SKY. 서울대, 연세대, 고려대 이니셜을 조합한 말.

유주의를 받아들인 이들이다. 그들에게 신자유주의는, 국민경제를 운용하는 케인스주의 다음에 왔던 매우 특수한 경제적 양상이 아니라 보편적이며 영구한 신앙과 같은 것이다. 경쟁은 아름답고, 그러한 경쟁만으로 자신이 살아갈 수 있다고 생각한 생존자들이 모인 곳이 바로 지금 한국의 대학이다. 그중에서도 부모들이 자부심을 느낄 정도로 특출 난 일류 대학들이다.

이념으로서 신자유주의 개념은 학술적으로 볼 때 아주 복잡하며, 개인이 내면화한 것이라 철학적으로 정의하기도 어렵다. 그러나 무슨 상관이랴. 서울대, 연세대, 고려대 앞에 서 있으면 열에 아홉은 그런 신자유주의를 가슴 깊이 담고 살아가는 특별한(?) 존재들을 만나게 될 테니 말이다. "경쟁해서 친구를 이기면 천국이 펼쳐진다."는 단 한마디만을 가슴에 품고 살아가는, 한 명씩 걸어가는 육화된 신자유주의 이념들을 아주 쉽게 만날 수 있다.

저기, 신자유주의가 걸어가고 있다.

헤겔이 자신의 하숙집 밑을 지나가는 말을 탄 나폴레옹을 보면서, "저기, 절대정신이 지나가고 있다."고 말했다면, 지금 우리는 "저기, 신자유주의가 걸어가고 있다."며 대학가에서 고뇌할 것이다. 그러나 그 '신자유주의'들도 실은 불편하고 외롭지 않을까.

내 몸은 신자유주의, 우리는 외로워요!

한국에서 가장 외롭게 살아가는 사람이 누굴까. 물론 우리는 누구나 외롭다. 때때로 처절할 정도로 외로움에 몸서리친다. 나 역시 명랑을 추구하지만, 명랑한 순간은 잠깐이다. 대부분은 외로울 수밖에 없다. 명랑으로라도 외로움을 끊지 않으면, 세상살이가 너무 고달퍼 명랑하려 애쓰는 것뿐이다. 익히 알려진 이 중에서 내가 아는 가장 외로운 사람은 강준만이다. 그는 90년대부터 한국에서 주로 쓰이는 '혹자'에게 '필자'가 하는 비판 방식 대신, '강준만'이라는 이름을 드러내고 비판을 했다. 그는 이것을 '실명 비판'이라고 불렀다. 그는 친구와 지인들을 자신의 적으로 만들었으며 이로 인해 거의 아무도 만나지 않고 세상을 살아가고 있다. 모든 비판에는 대가가 따르기 마련이다. 강준만이 외롭다면 그 외로움이 이해된다. 학문이라는 것 자체가 외로울 뿐만 아니라 맨 앞에서 사회적 논의를 이끌어 나가야 하니 그럴 수밖에 없다.

그렇다면 대학생 그리고 20대는 외롭지 않을까. 아무리 봐도 그들 역시 고독에 몸부림치는 존재들이다. 대학생이란 집단만큼 고독 속에서 하루하루를 보내는 존재들이 또 어디 있을까. 강준만의 외로움이 그의 선택이라면, 대학생들의 외로움은 선택이 아니라 강요된 것이라는 점이 다를 뿐이다.

"내 몸은 신자유주의예요"

자, 이제 연세대에서 내가 조한혜정 교수와 같이 진행했던 2008년 2학기 〈문화기술지〉 수업으로 돌아가 보자. 원래 이 수업은 조한혜정 교수가 하던 것이었는데, 그해 가을 프랑스에서 다른 것을 연구해 보려던 나의 계획이 어긋나면서 같이 진행하게 되었다. "우리 재밌는 것 좀 해 볼까?"라는 조한혜정 선생 말에 시작된, '재밌는 것'을 위한 수업이었다.

나와 마찬가지로 조한혜정 교수는 한국에서 둘째가라면 서러울 정도의 탈교육 지지자다. 또한 사교육 반대자며, 학교를 경쟁적이고 살벌한 적자생존의 공간으로 만들어서는 안 된다고 보는 신념을 가진 분이다.

〈문화기술지〉 수업에는 학생 80여 명이 참여했다. 학생들은, 절반이 좀 안 되는 '순수 학생' 즉 학생운동과 아무 상관없는 학생들과, 절반 정도의 구좌파에서 신좌파에 속하는 다양한 운동권 학생들 그리고 이공계가 싫어서 사회과학 쪽으로 전과한 아주 일부 학생들로 이루어져 있었다. 조한혜정 교수는 진행자면서 심판자 역할을 했고, 나는 학기 내내 학생들에게 "부처를 만나면 부처를 죽여라."와 같은 선불교식의 선문답으로 학생들 속에 잠자고 있는 목소리를 일깨우는 역할을 맡았다. 논쟁은 한 학기 내내 수업 내부 게시판을 통해 계속되었다. 학생들이 '우석훈 타임'이라고 불렀던 새벽 2~3시에 나는 거의 매일 글을 올렸고, 그 시간에 접속해 있던 학생들은 "그건 아니다!" "그건 정말 아니다!" 하면서 몰아치고 반박했다. 학기 내내 우리는 팽팽하게 맞섰다. 그럼 그 결론은 무엇일까?

허무할지 모르지만, 학생들 답변은 두 문장으로 요약할 수 있다. "선생님, 저희는 외로워요."와 "선생님, 저희는 그렇게 할 수가 없어요."였다. 이 것을 하나로 요약한 것이, "내 몸은 신자유주의예요."이다.

　선행 학습 혹은 사교육 세대인 이 20대들은 경쟁이 너무 깊게 내면화되어 있으며, 결론이 없는 질문을 받으면 무척 괴로워했다. 도대체 왜 그럴까. 학기가 끝날 즈음에야 이 궁금증에 대한 잠정적인 답을 얻었다. 학원에서는 강의 끝나기 5분 전에 '외워야 할 것'을 깔끔하게 요약하고 결론을 내 주는데, 대학 수업은 그렇지 않았던 것이다. 내 수업은 더더욱 그랬고 말이다. 답? 사회과학에 답이 있을 리 있는가? 지금까지는 이 문제를 이렇게 설명했는데, 앞으로는 어떻게 될지 그 최종 결론은 모른다, 이런 것이 일반적인 대학 수업이다. 학문에는 답이 없고, 그런 문제를 풀기 위해 대학이라는 것이 사회에 계속 존재하는 것이다. 그런데 학원의 5분 학습법에 익숙한 학생들에게 "자, 이 문제는 여러분이 고민해서 답을 찾아보세요." 했으니 정신적 공황까지 겪지 않았겠는가.

　쟤, 지금 뭐라는 거야? 시험에 나온다는 거야, 만다는 거야?

　눈이 나쁜 대신에 지독하게 예민한 내 귀에 저런 말이라도 걸려드는 날이면 내 마음 역시 편친 않았다. 그러나 뭐 어떤가. 우리는 어차피 지독한 오해 속에서 살아가고 있는데⋯〈문화기술지〉 수업이 헤겔 강독의 한 전형을 창조해 낸 알렉산드르 코제브의 수업처럼 흥미와 사회적 관심을 이끌어 낸 것은 아니지만, 적어도 그 수업에서 '지금 대학생'이라는 질문만은 끝까지 놓지 않으려고 노력했던 것은 사실이다.

신자유주의의 자식들

이 수업에서 형식적으로 오고 간, 하나 마나 한 얘기들은 빼고 핵심이 되었던 말만 추리면, 놀랍게도 애정결핍증, 마조히스트, 광장공포증 같은 것들이다. 연세대에 입학할 정도로 유능한(?) 이 학생들은 내심 애정을 확인받고 싶었던 것이다. 사교육 선생들이 매일 주입해 준, 열심히 공부하면 잘살수 있다는 마조히스트적인 애정을 확인받고 싶어 했다.

죽도록 공부하면, 잘될 거야, 넌 잘났으니까….

마조히스트적인 애정결핍증자들이 원하는 문장은 아무래도 이 한 문장이었을 것 같다. 지금 대학생들이 수많은 자기계발서와 재테크에 관한 책들을 집어 들고 있는 것도 바로 이 한 문장을 듣기 위해서는 아닐까. 이들에게 "너만 잘하면 돼!"라는 말 대신에 "곰곰이 이 세상에 대해 생각해 보자."거나 "이것은 구조의 문제"라고 말한 이들이나 책이 과연 얼마나 될까.

그러나 학생들은 나와 조한혜정 교수가 처음으로(어쩌면 마지막일지도 모르는) 힘을 합쳐 진행한 그 수업에서조차 "선생님, 정답을 말씀해 주세요, 그것도 5분 요약본으로."라고 말하고 있던 셈이다. 이것이 한국 대학생들 몸에 밴 신자유주의라고 해석한다면 지나칠까?

이들은 외롭다. 그 이유도 알고 있다. 이런 사실은 수업이나 책을 통해서 알려 줄 수 있다. 그러나 외로움에서 벗어날 수 있는 방법은 말해 줄 수가 없다. 그건 존재론적인 질문이기 때문이다. 신자유주의에서 벗어나기 위한 첫걸음은 경쟁과 평가로 움직이는 사회가 아닌 다른 사회를 꿈꾸는 것이다. 그런데 이마저도 경쟁과 평가로 이해하는 이 지독할 정도의 애정결핍증자들! 이런 이들에게 가장 먼저 필요한 것은 신자유주의가 아닌 다른 사회를 상상할 수 있는 '원시적 빅뱅'일 것이다. 그걸 누가 이 마조히스트들에게 전달해 줄 것인가.

마지막 5분 요약, 암기 그리고 그걸 통한 평가가 바로 경쟁이라고 생각하는 이 친구들은 몸 자체가 신자유주의다. 그들은 신자유주의로 인해서 사회적, 경제적으로 많은 것을 빼앗겼지만, 아이러니하게도 이들의 행복은 신자유주의 안에 있다. 그들은 경쟁해서 이길 때에만 비로소 존재하며, 답 없는 세상에서 스스로 답을 찾아야 한다는 '오픈 퀘스천open question' 앞에서 끝없이 외로워진다. 그러므로 이들이야말로 신자유주의의 자식들이 아닌가.

우리는 신자유주의의 자식들, 우리는 외로워요.
우리는 바리케이드를 칠 줄도 모르고, 짱돌을 던질 줄도 몰라요.
경쟁을 시켜 주세요 그리고 욕이라도 해 주세요. 그러면 잠시 열심히
살지도 몰라요.

물론 학생들과 머리싸움을 했다고 해서, 학생들이 일방적으로 밀리는 형세는 아니었다. 나는 딜타이를 비롯해서 학계의 수많은 거성의 이론과 그들이 어떻게 좋은 학자가 되었는지, 동서양의 인식론적 틀은 어떻게 다른지에 대해서 끊임없이 얘기했다. 그뿐 아니라 경제적으로 어려웠던 시절을 비롯해 하고 싶었지만 잘하지 못했던 공부와 그때 채 소화하지 못했던 내용 등 나의 약점들까지 들추어냈다.

그런데도 결론적으로 말하면, 나는 그들에게 감동을 주지 못했고, 그들이 몸을 움직여서 무엇인가 해야 할 동기를 갖게 하는 데에도 실패했다.

엄친아, 엄친아, 엄친아…

케임브리지대학교 장하준 교수를 초청해서 강연회를 연 적이 있다. 이전 학기부터 워낙 많은 학생이 장하준을 한번쯤 보고 싶어 했다. 그 정도면 보는 게 낫겠다 싶어 강연회를 연 것이다. 강연장은 3백여 명이 들어갈 만한 나름대로는 대형 강의실이었는데, 5백여 명이 몰려오는 일이 벌어졌다. 나중에 들은 바로는 자리가 없어서 못 들어온 학생들도 많았다고 한다. 강의실에 학생들이 꽉 들어찬 데다 4월 어느 날이었으니 강의실은 자연스레 더웠다. 진행자인 나도 더워서 괴로웠는데, 하물며 강연자는 어땠겠는가. 장하준도 웃옷을 벗고서도 땀을 흘리고 있었다. 강의를 듣던 학생들도 힘들어했다.

이 일을 돌이켜 보면, 사실 좀 슬프다. 조한혜정 교수 수업에 내가 초청된 것은 아마도 일종의 롤모델[본보기]로서였을 것이다. "한번 네가 가진 것을 보여 봐라."는 의미이지 않았을까 싶다. 그러나 나는 괴팍하고 돌출적이며, 골초에 마셨다 하면 소주를 몇 병씩이나 비우는 술꾼이다. 누가 나를 닮는 것이 영 내키지 않는다. 그러나 장하준은 다르다. 신사적이고 부드럽다. 그와 만날 땐 마음을 편히 가져도 좋다. 그러나 학생들 말에 따르면, 장하준이

나 나나 그들에겐 모두 엄친아_{엄마 친구 아들의 줄임말}다. 그러므로 그들이 우리 두 사람의 수업을 듣는 행위는 유명인을 만나는 잠깐의 문화 소비에 가깝다는 것이다.

결론부터 말하면, '신자유주의의 자식들'이라고 불리는 지금의 대학생들에게 이러한 롤모델 전략은 거의 먹히지 않는다. 그들은 바보가 아니다. 조한혜정 교수가 자주 표현하듯이 '지독할 정도로 영악한' 21세기 대학생들은 이런 롤모델을 제시하는 교수의 교습법에 대해서 '엄친아'라는 방어벽으로 대응한다.

그 사람들은 엄친아잖아요!

80년대에는 이런 롤모델 전략이 먹혔다. 레닌을 이상형으로 삼은 '똘아이'도 있었고, 마르크스처럼 공부하고 싶다는 정신 나간 '넘'들도 있었으며, 로자 룩셈부르크처럼 뜨겁게 살고 싶다는 희한한 여학생도 있었다. 소설가 김영하와 대학 시절 내내 붙어 다녔는데, 어느 날 그가 문학을 하고 싶다면서 소줏집에서 김남주 시를 외우기 시작했다. 나는 몇 번 듣고는 김남주 시가 생각보다 별로라고 평해 주었다. 그런데도 그는 김남주 시를 하나씩 새로 외워 와 만날 때마다 들려주었다. 지금 김영하에게 김남주 시인이 어떤 의미인지는 잘 모르겠지만, 한동안 그의 롤모델이었던 것만은 분명하다.

그러나 우리가 '신자유주의의 자식들'이라고 부르는 지금 대학생들에게는 이런 롤모델 전략도 생각만큼 잘 먹히지 않는다. 그런 면에서 그들 앞에 나를 롤모델로 세운 조한혜정 교수의 전략도 실패했다. 그들이 나에게 들려준 얘기는, "우석훈은 엄친아, 장하준은 원조 엄친아!" 이 엄친아 리스트는 계속 갱신되고 있다.

신자유주의라는 내면의 포위망

나는 정치적으로 잘못(?) 선택해 오랫동안 한국에서 실패한 대표적인 경제학자로 거론되었다. 같이 공부하던 동료들이 다 교수가 된 지금에도 시간강사로 살아가는, 철학적으로 좌파를 선택한 대가가 어떠한지, 줄 서서 공부하는 학계의 전통을 따르지 않으면 어떻게 되는지 보여 주는 본보기가 되었다. 결국 마흔이 넘어서도 교수가 되는 데 실패하면서는 'C급 경제학자' 아니면 '뽀로꾸' '날탕' '구라꾼' 따위 별명들이 따라붙었다. 80년대에 경제학을 전공으로 선택했는데, 케인스 시대에도 케인시안이 아니었고, 신자유주의 시대에도 신자유주의자가 아닌 사람으로 살았다. 동료들은 이런 나에게 실패한 인생이라는 딱지를 단단히 붙여 놓았다. 지금도 나는 시간강사로 식구들을 불안하게 하면서 겨우겨우 입에 풀칠이나 하고 있다. 실패하지 않은 하루를 살기 위해서 이 신자유주의 시대에 "시장이 다는 아니다."라고 외치며 산다. 대안경제와 연대의 경제에 대해 연구하면서 그야말로 바늘 하나 꽂을 만한 공간을 확보해 가고 있는 중이다. 그런데 이런 내가 '엄친아'라니……. 도대체 쟤가 밥이나 먹고 살까 하며 늘 걱정하시던 어머님만이 무척 기뻐하실 것 같다.

그 후 나는 학생들이 롤모델로 삼을 만한 공지영 같은 '문화 생산자'들도 소개해 보았다.

선생님, 공지영은 공지영이잖아요!

이 역시 통할 리 없다. 변영주 감독을 비롯해서 꽤 많은 이를 학생들에게 소개해 주었지만, 그들 중 누구도 이 신자유주의의 자식들에게서 "정말로

최진욱 화가의 작품 〈취업선배와의 대화〉다. 이 그림을 보면 눈물이 핑 돈다. 우리가 살고 있는 이 시기를, 지금 20대 모습을 잘 보여 준 그림이다. (Oil on Canvas, 112×324, 2008)

뭔가 한번 해 보고 싶다."는 결의를 이끌어 내지는 못한 듯하다. 학생들이 삼성으로 가거나 스펙 쌓는 일을 그만두게 할 수 있는 사람만 있다면, 대한민국 누구라도 삼고초려라도 해서 데려와 학생들과 만나게 해 주고 싶었다. 〈커피프린스 1호점〉의 이윤정 PD든, 〈짝패〉의 류승완 감독이든 말이다. 지금의 20대 이 신자유주의 자식들에게, 완강하게 자기 안에 갇힌 이 애정결핍증자들에게 롤모델이 되고, 이들이 자기 세계를 만들어 내는 계기가 될 사람들이라면 누구라도. 그러나 이것이야말로 80년대식 사유일지도 모르겠다.

그러나 누구를 만나든 학생들에게 그들은 엄친아 아니면 엄친딸이다. 이 20대들이 자신을 가둔 벽은 누구를 만난다고 해서 부서지거나 뚫릴 수 있는, 그렇게 단순한 것이 아니다. 핵심은 간단하다. 누구를 보고 신기해 하는 것과 자신이 새로운 삶을 살아가는 것은 전혀 다르기 때문이다. 이들은 몸과 마음뿐 아니라 영혼마저도 신자유주의라는 기이한 자기폐쇄적 회로에 갇혀 있다. 그렇다고 이들이 열심히 '스펙'을 쌓는다고 해서 그들 마음속의 진정한 영웅인 CEO를 만나게 될까? 그들도 바보가 아니니까 안다. 장하준 아니라 장하준 할아버지를 데려와도 자신들의 폐쇄회로에선 엄친아로 이해

최진욱 作 '88만원 세대 – Memento mori' 중 〈알바천국2〉. (Oil on Canvas, 160×117, 2008)

최진욱 作 '88만원 세대 – Memento mori' 중 〈알바천국3〉. (Oil on Canvas, 178×130, 2008)

될 뿐이란 걸. 삼성에 입사한 '선배들과의 만남의 자리'에 몰려들어선 이러면 될까요, 저러면 될까요 하며 묻는 모습이 장하준의 강연회 때와 별반 다르지 않으니 말이다.

신자유주의는 이미 세계적으로 절정기를 지나갔다. 그런데 지금 한국에서는 이 신자유주의가 20대들의 영혼마저 옴짝달싹 못하게 결박하고 있다. 이렇게 20대들의 내면에까지 파고들어 장악한 신자유주의란 포위망을 '20대의 무의식'이라고 불러야 할 정도다.

선불교에서 6조 혜능이 5조를 처음 만났을 때 얘기다. 5조가 어느 날 강연을 했는데, 경단을 청소하던 혜능이 자기 얘기를 듣고 깨우친 것을 알게 되었다. 그날 밤 5조는 혜능을 불러 자신의 지팡이와 장삼을 물려주면서 당장 도망가라고 했다. 5조의 제자들은 혜능이 스승의 지팡이와 장삼을 훔쳐 갔다며 평생 그를 뒤쫓았다고 한다.

생명평화 순례길에 나선 도법 스님을 광주 증심사에서 뵐 일이 있어 이 일화에 숨겨진 뜻을 여쭌 적이 있다. 도법 스님은 "눈뜬 자가 어찌 눈 감은 자 중에서 혼자 눈뜨고 있는 자를 못 알아보겠느냐?" 하셨다.

깨우쳤느냐?

신자유주의의 자식들에게 이 질문은, 쟤 또 뭐라는 거야, 저 엄친아가… 이렇게 되는갑다.

제갈량처럼 동남풍을 부르라

어찌어찌하다 보니, 한국은 물론 일본 그리고 때때로 중국의 20대들까지도 연구해야 하는 상황이 되었다. 20대들을 대할 때에는 "관찰 대상자에게서 이익을 얻지 않는다."는, 사회과학자로서 지켜야 하는 가장 간단한 기본 원칙을 지킨다. 이들을 위해서 무엇을 하거나 이들을 편하게 해 주어야 한다는 생각은 굳이 하지 않는다. 중립을 지키려고 노력하는 편이다. 이런 태도로 한국의 많은 집단이 20대 문제에 어떻게 접근하는지 한발 떨어져서 보면, 학자로서 최소한의 객관적 입장도 잘 지키지 않거나 20대들을 지나치게 자기 편으로 끌어들이려는 것 같은 인상을 종종 받는다. 그러나 어느 쪽이든 변하지 않는 사실은 한국에서 20대를 분석하는 일이 이제 막 시작되었다는 것이다. 그러므로 이전 20대들과 매우 다른 지금 20대에 대한 우리의 이해는 아직 얕다.

이런 현시점에서 객관적인 사실은 대학생이든, 대학을 졸업한 취업 준비생이든, 대학에 진학하지 않고 곧바로 사회에 뛰어든 20대든, 우리 사회에서 20대들은 존재감이 아주 낮다는 것이다. 그것은 정치권을 비롯해서 20대들에게서 위협감을 느끼는 사람이 거의 없다는 점에서도 알 수 있다.

만약, 20대가 집단적으로 무엇을 할 것 같으냐고 묻는다 치자. 이 간단한 질문에 대한 답변은 50대도 알고, 40대도 알고, 당사자인 20대들도 알고 있다. 심지어 지금의 10대들도 어렴풋이 알고 있다. 그것은 "그들은 아무것 도 하지 않을 거예요!"이다. 가끔 만나는 고등학생들은 대학생들도 아무것 도 안 할 건데, 자기들이 무엇을 해야 하느냐며 나에게 되레 묻는다. 물론 나라고 딱히 할 얘기는 없어서, 그저 서로 눈만 끔뻑거리다 헤어진다.

글쎄요?

어쨌든 한국의 20대들 특히, 대학생들 속에서 집단적인 변화가 당장 생기 지 않으리라는 건 모두 알고 있다. 청와대를 비롯한 정치권에서도, 설마 '그 들'이 대규모로 투표장에 가는 일이야 벌어지겠느냐 생각하는 듯하다. 그러 니 만만한 게 20대다. "이게 다 이명박 때문"이라는 말 대신에 이젠 "이게 다 대학생 때문"이라는 말이 흘러나오게도 생겼다. 한국에서 존재감과 존재 가 주는 위협감은 여전히 광장에서, 오프라인에서 그리고 투표장에서 생겨 나는데, 이런 힘의 근원들이 지금 대학생들에게는 좀 낯설다.

제갈량이 살아나도 변하지 않는 현실

현장에서 선거운동을 직접 지휘하는 선거본부장으로 오래 일했던 민주당 어느 정치인에게서 들은 얘기다. 최근 몇 년간 한국 선거 결과를 가장 크게 좌우했던 것이 다름 아닌 투표 당일의 날씨라는 것이다. 아침부터 쨍쨍한 날은 선거를 하나 마나고, 종일 비가 오는 날도 선거를 망친다고 한다. 그런데 오전에 비 오다가 오후에 개인 날엔 민주당의 경우 득표 결과가 아주 좋다는 것이다. 우스운 일이지만, 이것도 엄연한 현실이다. 날씨에 개의치 않고 반드시 투표를 하는 50대 이상의 보수주의자들과 정치적 성향에 관계없이 날씨에 따라 유동적으로 투표하는 20~30대. 이런 현상이 지금 청와대에 앉아서 세상을 보는 사람들이 '필승의 공식'으로 믿고 있는 한국인의 근성(?)이다.

이런 한국에 지금 필요한 사람은 누구인가. 신자유주의가 절정기를 지난 지금, 세계는 전혀 새로운 방식으로 경제를 재편하려는 논의를 시작하고 있다. 미국은 이미 정권이 바뀌었고, 정말로 안 바뀔 것 같았던 일본 자민당 정권의 오래된 통치도 끝났다. 이런 상황에서 한국의 이명박 정부만이 '독야청청' 극단적인 신자유주의에, '울트라 토건국가'를 강화시킨 아주 기형적인 경제 시스템을 만들고 있다. 그러므로 우리에겐 지금 투표 당일에 구름을 불러올 수 있는 제갈량 같은 사람이 필요한 것 아닌가. 유비와 손권 연합군이 조조의 대군을 만나 적벽대전을 치를 때 화공을 펼칠 수 있게 동남풍의 바람을 불러온 바로 그 제갈량 말이다. 아무것도 변하지 않는다면, 지금의 흐름을 바꿀 수 있는 건 사실상 날씨밖에 없지 않겠는가.

물론 이제는 그것도 어렵다. 한국 날씨에 영향을 받지 않는 해외 교포들의 한나라당 표가 밀려올 것이기 때문이다. 이런 상황이면 제갈량이 살아나 동남풍을 불러온다고 해도 소용없다. 그리고 더 중요한 것은 이 사실을 청와대가 알고 있다는 것이다. 그래서 지금 아무리 사람들이 "이건 아니다!"라고 목구멍이 찢어져라 외쳐도 바뀌는 건 없다. 기막히지만, 이게 지금의 현실이다.

답 없는 시대 '추한' 정부

이명박 정부가 들어선 이후 지금 20대들이 정서적, 정치적으로 당한 것들은 옆으로 미루어 놓고 경제적으로 당한 것들만 얘기해도 대단하다. 알기라도 하고 당했으면 좋았으련만, 지금 20대들은 거의 대부분 모른 채 당했다.

(현재 연봉 – 2000만 원)／2＝연봉 삭감액

이 간단한 공식이, 공기업이나 정부기관에 들어갈 지금 20대들, 이른바 대학을 졸업한 신입사원 월급을 깎을 때 쓰인 것이다. 내용은 지극히 간단하다. 연봉 중 2000만 원 초과분을 반으로 깎는다는 것이다. 이 공식에 따라 눈물나게 준비해서 한국전력공사 같은 공기업에 들어갈 사람들 임금이 일괄 삭감된다. 그럼 이 임금은 언제까지 유지되느냐? '간부'가 될 때까지다. 회사마다 직급 체계가 달라서 조금씩 다르기는 하지만, 대개 차장이 될 때까지 이렇게 삭감된 임금을 받게 된다. 신입사원으로 들어갔다가 10년, 15년 지나서 간부가 되면 거짓말같이 임금이 높아지는 것이다. 신입사원 임금을 기계적으로 계산하면, 1억에서 1억 5천만 원 정도를 미리 현시점에서 삭감해 버린다. 있을 수 없는 일이지만, 이러한 일이 벌어졌다.

이런 일이 벌어지면, 원칙적으로는 노조가 '예비 노조원'들을 위해서 바리케이드를 치고 막아 주는 것이 옳다. 하지만 당사자들이 취업 준비로 정신없는 사이에 노조도, 여론도 그다지 뒷받침해 주지 않았다. 이로 인해 이명박 정부는 아주 쉽게 20대를 제압할 수 있었다. 누가 고양이 목에 방울을 달 것이냐며 서로 '용사 고양이'가 되기를 미루고 있는 동안, 20대의 취업자리는 행정인턴을 비롯해서 아예 공식적으로 거의 인턴직으로 바뀌어 버렸다. 취업 기간도 고작 10개월 미만의 단기 계약이다. 2년 정도 중장기적으로 계약해도 되는데, 한 달치 기본임금에 불과한 퇴직금 주는 것도 아까운 것이다. 물론 한국에서 정규직, 종신고용 체계와 노동유연성 사이의 논쟁은 20대에만 걸려 있진 않다. 이 논쟁은 이 땅의 모든 노동자의 미래와 직결된 것이므로 훨씬 더 큰 틀에서 장기적인 관점으로 하는 게 옳다. 그러나 이번 20대 인턴제는 해도 해도 너무 치사한 작태다. 그것도 국가 차원에서 진행되었으니 더욱 그렇다.

답 없는 시대

아무리 경제위기인 지금 상황을 감안하더라도, 현 정부가 하는 정책들은 지나치게 20대들에게 피해를 입힌다. 매도 같이 맞으면 낫다고, 어려운 시기니 세대와 직종을 넘어 조금씩 고통을 나누는 것이 좋겠지만, 스스로를 지킬 아무런 장치가 없는 20대들에게 고통이 너무 집중되었다. 기껏 힘들게 취직해야 이미 월급은 깎인 상태거나 10개월 미만의 인턴이니, 그야말로 길이 없다.

그러나 바로 지금의 대학생들이 신자유주의의 자식들 아닌가. 개별적 해법에 길들여진 이들이 삭감된 공기업과 정부기관의 임금을 다시 원래로 돌려놓게 반이명박 진영을 움직이고 정권을 바꾸어, 자신들이 잃어버린 것들을 되찾긴 구조적으로 불가능해 보인다. 이런 20대들의 대응도 구조라면 구조인 셈이다.

이명박 정권이 20대를 두려워했던 적은 2009년 졸업 시즌, 딱 한 번이었다. 취직 못한 20대들이 한꺼번에 길거리로 튀어나와 폭동 같은 것을 일으키는 시나리오를 상상했을 때였다. 그래서 행정인턴을 비롯한 인턴제라도 긴급히 투입한 것이다. 하지만 청와대는 졸업 시즌이 조용히 지나가는 것을 보면서 폭동 같은 일이 일어나지 않을 것이고, 인턴제만으로도 20대들이 충분히 감지덕지하리라는 사실을 알았다. 그래서 결국 대졸 신입사원 임금 삭감도 과감하게 밀어붙인 것이 아닌가. 청와대 판단은 대체적으로 옳았다. 이미 따로따로 흩어져 있어서 집단적으로 사유하거나 토론해서 뜻을 만들어 내는 일에 익숙하지 않은 한국 20대의 속성을 꿰뚫어 본 것이다. 몸마저도 신자유주의에 잘 맞추어져 있어서 오히려 "판단하라!"는 주문을 받으면 더 당황해 하고, 학원식 5분 요점 정리가 있지 않은 한 '답 없는 질문' 앞에서 맥없이 무너져 버리는 20대들을 말이다. 이명박 정권의 정책에 대해 어떻게 대응할지 "이렇게 하세요."라고 딱 요점만 정리해 놓은 것이 있거나 아니면 최소한 사지선다형으로라도 출제해 주면 좋으련만, 어디 이명박 정부의 무한한 조변석개형 변덕에 정답이 있겠나. 이 시대에 굳이 답을 찾자면, 딱 한마디일 것이다.

"답이 없다."

정말로 답 없는 이명박과 청와대에 계신 분들이 그러나 한국의 20대에 대해서 한 가지 간과한 것이 있기는 하다. 그들은 소비에 더 길들여져 때때로 '소비적 존재'로 여겨지고 정치적으로는 나약하고 무기력해 보일지 몰라도, 대단히 미학적인 존재라는 사실이다. 신자유주의 그리고 대기업 CEO가 20대들의 이상이란 관점에서, 어쩌면 이명박과 20대는 오히려 이명박과 50대보다 더욱더 환상의 복식조를 이룰 수 있었을지 모른다. 하지만 미학적인 측면에서 지금 20대들이 얼마나 민감한 존재들인지에 대해서는 미처 생각하지 못했던 것 같다.

예쁘고, 폼 나고, 멋진 것들을 지금의 20대들은 일본어를 빌려 '간지^{かん}_じ'라고 부른다. 정의를 위해서 목숨을 걸거나 민주주의를 지키기 위해서 결단을 내리는 것 아니면 공동체의 이익을 위해서 희생하는 것들은 지금 20대들에게 낯선 개념이다. 그러나 많은 20대가 '간지'를 위해서는 목숨을 건다. 알량한 자신들의 월급을 '간지남' 아니면 '간지녀'가 되기 위해 탈탈 턴다. 이것은 지금 20대가 가진 또 하나의 숨겨진 본성이다.

"추해서 못 참겠다."

한국예술종합학교 젊은 예술가들의 피켓에서 나온 표현이다. 이 말만큼이 시대를 잘 요약하고, 또 지금 20대들이 '명박'에게 느끼는 감성을 강렬하게 대변해 주는 것도 없을 듯하다. 80년대에도 사실 전두환에 대한 미학적 거부감은 있어 '대머리'라는 말로 상실감을 표현했지만, 그 시기에는 이성이 작동해야 한다는 시대정신 때문에 감성은 비합리적이라는 생각이 공유

되었던 것 같다. 그러나 지금은 간지가 맨 앞에 나오는 시기다. 이명박 정부의 치졸한 정책들과 도무지 앞뒤가 맞지 않는 말들, 계속되는 너무 뻔한 거짓말들이 지금 20대들의 미학과는 도저히 맞지 않는 것 같다.

대선 때와 달리 지금은 학교에서 이명박을 지지하는 학생들을 만나기 어렵다. 조사마다 결과가 조금씩 다르지만 20대 중에서 90퍼센트 이상이 이명박을 반대한다. 대선 때의 지지율과 비교하면, 1년 반 사이에 40퍼센트 정도의 20대가 이명박에게서 등을 돌린 것이다. 이런 조사에서는 잘 드러나지 않지만, '미학적 반감'이라는 개념을 사용한다면, 이 정도면 정말로 반감의 골이 깊어진 상태다. 옳다/그르다의 접근이 아니라, 싫다/보기 싫다와 같은 '간지'의 시대에 20대와 이명박은 같이 갈 수 있는 선을 이미 훨씬 넘어선 듯하다.

지금의 많은 대학생은 여전히 신자유주의에 대한 경제적 대안이 있을 수 있다는 말에는 별로 반응하지 않는다. 여전히 CEO를 존경하고, 'CEO 리더십 특강'이라도 열리면 몰려든다. 신자유주의가 아닌 경제는, 그것이 케인스식이든 호혜에 기반한 대안경제이든 좋고 나쁘고를 판단하기 전에 익숙하지 않아 때때로 두려움마저 느끼는 듯하다. 이들을 괜히 신자유주의의 자식들이라고 부르는 게 아니다. 이들은 적절한 조절 장치가 있고, 지나치게 눈에 띄는 해악이 당장 발생하는 게 아니라면, "경쟁하라, 그러면 구원이 있을 것이다."라는 신자유주의 계명을 바로 종교처럼 받아들인다. 그런데도 이명박 정부의 추함이 지나쳐 이들도 더는 도저히 받아들이기 곤란해진 것이다.

아름다워지기 위해서 기꺼이 지갑을 열고, 몇 번씩이라도 성형수술을 받겠다는 지금의 여대생들을 보면서 사회과학자들은 '취업이 어렵기 때문'이라고 간단히 진단한다. 그러나 그 욕구를 취업 같은 경제적 동기에서만 찾아도 되는 것일까? '나르시시즘의 마케팅' 결과라고 딱 한 줄로 요약해도 되는 것일까. 지금 20대 여성들이 가지고 있는 미감 혹은 미학적 에너지를 말이다.

내가 관찰한 바에 따르면, 학생 조직이든 뉴라이트 조직 같은 데서 활동하는 소수의 20대를 제외한, '말 없는 다수'를 이루는 20대와 이명박 정부는 미학적인 측면에서 완전히 정면 충돌한다. 이런 현실을 청와대는 아직 이해하지 못하는 듯하다. 삽질, 불도저, 쥐 이런 상징들로 이명박 정부를 이해한 20대들에게 "PD수첩만 잡으면 된다." 혹은 "MBC만 접수하면 된다." 식의 일방적인 대중 홍보 전략은 전혀 어필하지 못한다. 한번 생각해 봐라. 아무리 생각 없고, 정치에 참여도 안 하고, 무책임하다고 욕먹는 지금의 대학생이라도, 무심코 찾아간 극장에서 '대한 늬우스'를 보면서 아, 4대강 살리기가 이렇게 중요한 것이구나, 나도 꼭 이 정책은 지지해야지, 훌륭한 일을 하시는 이명박 대통령에게 괜한 반감을 가지고 있었구나, 이렇게 할 이가 있겠는가.

'간지'를 목숨처럼 여기는 이 20대들의 참을 수 없는 존재의 명랑함. 그렇다고 이들이 이명박이 싫다고 바로 민주당으로 가거나, 민주노동당 아니면 진보신당 같은 데로 관심을 돌릴까? 그럴 리가 있나. 많은 20대들에게 '간지'는 취향이 아니라 존재 이유다. 불의는 참아도 추한 것은 참을 수 없는 이 독특한 감성, 그것이 앞으로 펼쳐질 다음 세대들의 존재론 아니겠는가. '소녀시대' 노래를 들으면서 화려함을 꿈꾸지만, 정작 주머니는 빈털터리인 이 보잘것없어 보이는 20대들 속에서 혁명은 이미 시작되고 있다. 레닌과 같은 지도자도 없고, 68혁명 때의 세기적 사명감도 없지만, '아름다움'을 가슴에 간직한 대학생들 속에서 서서히.

진陣 짜는 법

사디스트 사회, 마조히스트 20대

프랑스 드라마에는 가끔 난쟁이 아줌마가 주인공으로 나온다. 그들은 대개 천사 아니면 요정이다. 영화 〈스타워즈〉 6편을 보면, 털복숭이 원시 종족 아워크가 첨단 무기와 어둠의 포스를 갖춘 제국군을 결국 무찌른다. 이 아워크 종족을 연기한 사람들이 전부 난쟁이 배우들이다. 〈반지의 제왕〉 시리즈에서 세상을 구하는 존재로 나오는 호빗 종족을 연기한 배우들도 난쟁이다. 〈은하계를 여행하는 히치하이커를 위한 안내서〉라는 긴 제목의 영화에는 우울증 로봇 마빈이라는 아주 기막힌 캐릭터가 나오는데, 이 마빈 역할을 맡았던 사람이 워윅 데이비스라는 유명한 난쟁이 배우다. 〈해리 포터〉 시리즈마다 웃음을 폭발시키는 플리트윅 교수가 바로 이 사람이다. 또 〈오스틴 파워〉 시리즈에 나오는 닥터 이블의 복제 인간, '미니 미' 역할을 한 이도 베른 트로이어라는 난쟁이 배우다.

영화 〈오즈의 마법사〉에서 오즈가 맨 처음 도착한 곳이 어디인가. 바로 먼치킨이라는 난쟁이 마을이었다. 오랫동안 난쟁이들은 정의를 수호하는 선한 자들이라는 전설 속에서 살아왔다. 이것은 사회에서 약자일지도 모르는 난쟁이들을 편견에서 보호하기 위한 문화 장치가 아닐까 싶다.

그런데 여러분 중에 거리에서 난쟁이를 본 사람이 있는가. 내가 아주 어렸을 때에는 길거리에서도 쉽게 난쟁이를 만날 수 있었다. 그런데 어느 순간 이들이 사라졌다. 거리에서, 경제에서 그리고 텔레비전 따위 문화 영역에서도. 척추 장애인도 마찬가지다. 인구 비례로 태어나는 이런 사람들이 한국에서는 다 어디로 간 걸까? 제국의 심장이라고 욕먹는 할리우드에서도 만날 수 있는 난쟁이들이 한국 TV나 영화에선 보이지 않는다. 그럴 때마다 한국 사회가 얼마나 잔인한지 새삼 돌아보게 된다. 이 사회에선 최소한 '선남선녀'라야 발언 기회를 얻을 수 있고, 길거리에서도 자신 있게 걸어 다닐 수 있다.

도대체 누구랑 하지?

보통의 경우 20대는 가장 활발하고 자신감 있게 그 사회의 바닥을 주도하는 사람들이다. 하지만 지금 한국의 20대는 '사회적 난쟁이'다. 부모의 삶과 떼어 놓고 생각하는 것 자체가 불가능하다. 물론 어떠한 이유로 부모에게서 아무런 도움을 받을 수 없는 사람들도 있다. 이들은 난쟁이 중에서도 더 작은 난쟁이다. 그러므로 20대들의 연대는 '난쟁이들의 연대'와 비슷하다. 부모를 잘 만난 난쟁이, 부모가 아예 없는 난쟁이, 암기를 잘하는 난쟁이, 예쁜 난쟁이, 노래 잘하는 난쟁이, 아무 생각 없는 난쟁이, 삼성에 가고 싶어 하는 난쟁이, 고시 준비하는 난쟁이 등 처지만 조금씩 다를 뿐 난쟁이란 점에선 같기 때문이다. 그러나 20대는 그들의 마음을 칭칭 동여맨 어떤 것을 풀어내면 아직도 얼마든지 성장할 수 있고, 미운 오리 새끼가 겨울이 지나 백조로 날아오르는 것처럼 한번쯤은 날아오를 기회가 있다. 이것이 20대가 진짜 난쟁이와 다른 점이다.

예전에 알던 이 중에 아주 심각한 우울증 환자가 있었다. 그는 공부도 잘하고, 잘생겼으며, 선남선녀라는 좀 '구린' 표현을 쓰면 선남선녀에 해당되고, '재원'이라는 19세기 용어를 끌어들이면 또한 재원이었다. 그러나 아무에게도 말하지 않은, 마음속의 상처 때문에 죽어 가고 있었다. 그런 그가 우울증에서 벗어날 수 있었던 것은 한 문장을 떠올린 이후였다.

아무래도 나는 남의 별에 태어난 건가 봐!

그 뒤로 그는 아무 일도 없었다는 듯이 우울증을 털고 자리에서 일어났다. 그리고 다시 즐겁게 세상을 살기 시작했다.

지금 20대에게 우울증 같은 마음의 병을 일으키는 것이 신자유주의다. 무수히 많은 사람이, 자신감이 없고 패기가 없다며 20대들에게 계속 반복해서 '자신감'을 사디즘적으로 주문한다. 그리고 이런 내용을 담은 자기계발서들이 20대 마음의 병을 마조히스트적으로 재발시킨다. 지금 20대들이 겪고 있는 신자유주의라는 마음의 병은 바로 이런 구조 속에서 확대 재생산되는 것이 아닐까? 신자유주의가 무서운 건 단순히 마음의 병으로 그치지 않고 몸 자체도 변화시키기 때문이다. 신자유주의에 맞추어진 몸, 그 몸을 어떻게 바꿀 수 있을까. 만약 당신이 20대라면, 지난 2, 3년 동안 다른 사람을 위해서 봉사나 기부를 한 적이 있는지 한번 돌아보시기 바란다. 아, 군대 갔다 오셨다고? 훌륭하시다.

지금 20대들은 성인들의 세계에 잘못 태어난 난쟁이라고 자신들을 생각할 수도 있다. 맨손으로 모든 것을 일구어 냈다며 자부심이 대단한 50대들의 세계에서 20대는 이해할 수 없는 난쟁이들일 뿐이다. 전두환도 겪고 노태우도 내몰았던 40대들에게 지금의 20대는 도무지 이해할 수 없는 패배자들이고 지독한 회의론자들로 비추어질지도 모른다. 사람들은 기원에 관해서 잘 생각하지 않으려 하고, 자기가 쌓은 경험이라는 단 하나의 창으로 세상을 보려는 경향이 강하다. 야속하겠지만, 원래 인간이 그러한데 어쩌겠는가. 이명박도 자신의 경험에만 의지해서 한국을 자신의 이상향으로 끌고 가고 있지 않나.

이제 우리에게 던져진 질문은 이 '난쟁이들'과 함께 어떻게 하나의 진을 짜고, 난쟁이들 중에서 리더가 생겨나 그들의 존재감을 세상에 드러내게 하느냐에 관한 것이다. 이게 과연 가능할까. 그럼 도대체 누구랑 하지? 상상으로든 진짜로든 20대들과 함께 무엇인가 바꾸어 보려고 생각해 본 사람이라면 맨 처음 이 질문과 맞닥뜨릴 것이다.

공성의 시대, 수성의 시대

사람마다 기질이 조금씩 다르다. 같은 일이 반복될 때 더욱 편안해 하는 사람이 있는가 하면, 그걸 죽기보다 싫어하는 사람도 있다. 이건 좋고 나쁘고의 문제가 아니다. 프로이트는 '반복의 욕구'를 죽음의 욕망이라고 생각하고, 그 욕구 반대편에 사랑의 욕구, 즉 에로스가 있다고 얘기했다. 물론 프로이트 세계에서도 이 두 가지는 기계적으로 좋고 나쁘고의 문제는 아니다. 기본적으로 어떠한 일도 새로운 것의 연속은 없고, 또 기계적으로 반복되지만도 않는다. 가장 창의적이라고 생각되는 예술 작업도 실제 새로운 모티브를 생각해 내거나 발상을 전환하는 데 드는 시간은 아주 짧다. 대학 시절에 나는 작곡에 대해서 아주 큰 판타지를 품고 있었다. 그런데 음대 친구들이 도서관에서 과제물로 제출할 교향곡을 작곡하는 것을 보고는 좀 충격을 받았다. 작곡을 하든, 글을 쓰든, 그림을 그리든 정말로 새로운 것을 만드는 순간은 아주 짧고, 그 뒤로는 단순 작업을 아주 길게 반복하는 경우가 많다.

내 경우를 보자. 우연히 나는 사회생활을 대부분 새로 생긴 조직에서 하게 되었다. 현대가 새로 조직한 현대환경연구원에도 첫 특채 연구원들 중 하나로 들어갔는데, 그중에서도 상대 출신은 나 혼자였다. 그래서 고유의 연구 영역 외에도, 연구소 틀을 만들고 문서 양식을 만드는 등 하여간 별로 폼은 안 나는 일들도 했다. 하지만 새로운 것을 만드는 일이어선지 그 일들이 썩 재밌었다. 에너지관리공단 시절에도 새로운 부서가 생기면서 자리를 옮겼는데, 5년쯤 지나자 일에 흥미가 떨어졌다. 같은 사업을 지속적으로 관리해야 하는 상황이 되면서였다. 곰곰이 지난날을 돌이켜 보면, 새로 만들어진 데에서 전혀 경험해 보지 못한 것을 할 때, 힘은 들어도 보람을 느꼈고, 비로소 내가 '살아 있다'고 느꼈던 것 같다. 어쩌면 나 같은 사람은 '공성의 시대' 즉, 자신이 서 있을 어떤 공간이나 조직의 영역을 만들어 내는 일에 훨씬 더 어울릴지도 모른다. 같은 일을 두 번만 해도 나는 벌써 지겨워지기 시작하고, 그 일을 3년쯤 반복하면 도대체 왜 이렇게 살고 있나 한숨을 푹푹 쉬게 된다. 물론 나도 이런 내가 불편하다. 그러나 그렇게 타고난 거니까 하며 가볍게 생각한다. 어쨌든 공성의 시대에 훨씬 더 어울리는 인간들이 있기는 한 것 같다.

반면에 어떤 사람들은 청소를 하는 등 단순히 반복되는 일을 할 때 오히려 편안해 한다. 물론 이런 사람들 중엔 글을 쓰거나 연구를 하는 직업을 가진 사람들도 있다. 이 때문에 오히려 아무 생각 없이 할 수 있는, 특히 육체적으로 피곤한 일에서 비로소 자신을 찾는 경우도 많은 것 같다. 이런 사람들은 대부분 무척 꼼꼼하고, 흐트러진 것을 잘 참아 내지 못한다. 굳이 표현하자면, 이런 사람들은 수성의 시대에 더 어울릴 것 같다. 집에서 글을 쓰는 무라카미 하루키는 9시에 옆방으로 출근해 저녁때 퇴근하는 일상을 반복하는 것으로 유명하다. 이런 루틴routine한 삶에 몇 년 전부터 오후에 2시간 수영하는 것이 더해졌다고 한다. 세밀한 관찰력이 돋보이는 그의 문학은 수성하는 사람들의 특징을 잘 보여 준다.

만약 나더러 성을 지키라고 하면, 아마 분명히 며칠도 안 돼 지겹다면서 몰래 뛰쳐나갈 게다. 그런 뒤 어딘가에서 막걸리나 한 사발 들이켜고 있으리라. 내가 지키던 성문은 임자 없이 뻥 뚫려 있을 테고. 《삼국지》에서 장비는 공격에 잘 맞는 사람이다. 이런 사람에게 성을 지키라고 했으니 문제다. 결국 장비는 술 먹다가 부하들을 때려 부하들에게 칼 맞아 죽는다. 나 같은 인간들은 예를 들면, 어떤 성을 공략할지 방법을 궁리하거나 전혀 불가능해 보이는 일들을 맡으면 최선을 다해 잘할지는 모른다. 대체적으로 나의 직장 생활이 그렇게 괴롭지 않았던 것은 주변에 엔지니어들이 아주 많은 상황에서 나 혼자 상대 출신이어서였던 것 같다. 무언가를 기획하거나 외국의 협상가들을 맞아 머리싸움해야 하는 일들을 주로 맡았기 때문이다. 나한테 꼼꼼하게 조직 내부나 수년째 계속되는 사업들을 관리하라고 했다면, 아마 나나 나에게 일을 시킨 상사들은 다들 낭패감을 맛보았을 게다.

물론 공성이냐 수성이냐는 유형의 차이를 말하기 위한 상징적 개념에 불과하다. 현실에서는 공성을 잘하는 사람이 수성도 잘하고, 수성을 잘하는 사람들이 공성도 잘한다. 이순신은 공성의 시대에 어울리는 사람인가, 수성의 시대에 어울리는 사람인가? 그는 공성, 수성 다 잘했고, 결국 난세에 어울리는 사람이었다. 분명 공성의 시대 인물이었지만, 한산도에서 몇 년씩 버티면서 그만큼 수비를 잘한 사람도 없었다.

노무현은 전형적으로 공성의 시대에 어울리는 사람이다. 그는 정권을 잡을 때까지 신기에 가까운 신통력을 보였지만, 수성의 시대에는 적들에게 둘

러싸여서 고립무원의 지경에까지 이르렀다. 그렇다면 김대중은 어떨까? 그도 공성의 시대에 어울리는 사람이라고 생각한다. 어떻게 생각할지 모르겠지만, 전두환은 의외로 수성을 잘했던 사람인 것 같다. 그는 아주 이상하게(?) 집권했지만, 그 기간 동안 생각했던 것보다 꽤 괜찮게 경제가 돌아가게 했다. 방어를 잘해 결국 자기 친구에게 성공적으로 정권도 물려주었으니, 이만큼 수성을 잘한 이가 또 어디 있을까 싶다. 노태우는? 그냥 친구를 잘 둔 사람이다. 그렇다면 이명박은? 그 질문이 만약 나에게 온다면 많은 국민이 잠깐 정신 줄 놓은 사이 얼떨결에 대통령이 된 사람이라고 대답하고 싶다. 그도 그건 잘 알고 있을 것이다. 그래서 그는 아예 정치를 안 하려는(?) 것 아닌가. 공성, 수성 다 약해서 장군감은 아니라고 생각하지만, 운이 좋은 사람이긴 한 것 같다. 재능이 아무리 뛰어나도 운이 좋은 사람을 이기기 어려운 것이 세상의 이치 아닐까.

공성과 수성이 교차되는 역사

역사에도 이런 공성의 시대와 수성의 시대가 있었다. 대표적인 공성의 시대는 프랑스혁명이 일어나던 때다. 한국의 역사에선 4·19혁명이나 87년 6월항쟁이 일어난 때가 그렇다. 학생들과 여성들의 저항이 시발점이 된 68혁명이 일어난 때는 규모가 세계적인 공성의 시대라고 할 수 있다. 그렇다면 수성의 시대는? 혁명이 끝나고 나면 이제 혁명 가담자들끼리 권력을 나누고, 혁명 이후를 지키는 수성의 시대가 열린다. 실패한 혁명들은 대부분 수성 단계에서 실패한다. 2차 세계대전 이후의 서양 역사를 보면, 68년 이후에 공성의 시대가 있었고, 이 68세대들이 20년 넘게 수성에 성공했다. 그러다

다시 네오콘*을 축으로 하는 신자유주의라는 새로운 공성의 시대가 열렸

* 공화당을 중심으로 하는 미국의 신보수주의자들.

고, 그들이 다시 10년 이상의 기간을 수성하고 있는 것이 지금이다.

　우리의 경우에는 87년 6월항쟁이 가장 최근에 있었던 공성의 시대고, 김대중 대통령 이후의 10년은 어떻게 보면 수성의 시대다. 박근혜가 지휘하던 한나라당이 너무 공격을 잘해서 10년의 수성기에 마침표를 찍고 결국 정권을 쥔 것인가 아니면 10년 동안 자신의 성 안에서 웅크리고 있던 사람들이 더는 성을 지킬 능력을 잃어버린 것일까? 아무래도 후자가 아닐까 싶다. 수성 기간이 길면 아첨과 보신에 능한 사람들이 늘어난다. 결국 실제로 수성에 능한 사람들과 공성기에 필요한 사람들은 어느 틈에 자취를 감춘다. 시대가 자신들을 알아주지 않는데, 누가 그 성에서 목숨을 내걸고 싸우겠는가. 이게 사람들이 납득하든 그렇지 않든 내가 본 노무현 후기의 참여정부 모습이다. 김대중, 노무현으로 이어지는 10년의 수성기를 '잃어버린 10년'이라고 표현하는데 그렇게 틀린 말도 아니다. 이 시기에 민중도, 학계와 시민·민중단체 그리고 이렇게 묶기 어려운 여러 경제적 '약한 고리'들이 많은 것을 잃었다.

각개약진하거나 진을 쌓거나

공성이든 수성이든 이 말들이 지금 20대들에게 어울리는 것 같진 않다. 현재까지 그들에게는 '보신'이라는 단어가 대체로 잘 어울리고, '대세'라는 단어가 마음을 끄는 것 같다. 어쨌든 세상은 혼자 사는 것이 아니라서, 매우 특별한 경우를 제외하고는 자신이 남을 위해서 움직이든 남이 자신을 위해서 움직이든, 어떠한 유형의 조직이 필요하긴 하다. 공성, 수성이든 혼자 게임하는 경우가 아니라면, 게임할 때 소위 진이라고 불리는 것이 필요하다. 진formation은 개개인의 능력을 더욱 크게 발휘하는 장치다. 우리에게는 이순신 장군이 한산대첩에서 사용했다는 학익진이 가장 유명하다. 제갈량이 사마의를 맞았을 때 썼다는 팔괘진은 신비하기만 하다. 영화 〈글래디에이터〉에서는 한니발을 맞았던 로마 군단을 재현한 검투 경기 장면에서 다이아몬드진과 일자진이 나온다. 이 다이아몬드진은 80년대 한국의 전경들이 학생 시위대 대열의 허리를 자를 때 많이 썼다.

80년대 대학생들이 학교에서 이른바 '교문 돌파'를 할 때의 진법은 무척 간단하다. 진은, 그냥 구호를 외치면서 직사각형으로 줄을 맞추는 본대와 전경이 이 본대를 급습하지 못하게 막는 앞쪽의 호위대로 이루어져 있었다.

이 진법으로 전경들이 막아 선 교문을 뚫기란 불가능하지만, 전국적으로 동시에 이러고 있는 사이에 시내에서 가투^{거리 투쟁}를 벌일 수 있으니 이 점을 노린 것이다. 대학 하나하나에서 펼치는 진이라야 좀 전에 말한 것처럼 아주 단순하지만, 이것이 전국의 대학에서 동시에 펼쳐질 때는 거대한 진법의 효과를 발휘하는 셈이다. 그 덕에 결국 전두환 정권이 거느리던 전경들을 분산시켜 87년 6월, 광화문 진출이 가능했던 것 아닌가.

당시 가투 진은 스크럼을 짜는 단순한 구조였는데, 전경들은 이 진을 흩뜨리는 전법을 썼다. 수백 명으로 이루어진 본대는 스크럼으로 연결되어 있어서 한꺼번에 체포할 수 없다. 그래서 전경들은 진 흔들기, 꼬리 짜르기, 허리 끊기 등으로 자꾸 숫자를 줄이고, 떨어져 나온 학생들을 고립시켜서 체포했다. 스크럼을 짰을 땐 안쪽에 있을수록 안전하고 바깥쪽에 있을수록 구속될 가능성이 높아서, 안쪽 사람들은 자기보다 바깥쪽에 있는 친구들을 고맙게 여겼다.

진이 없는 세대

80년대와 지금을 비교해 보면, 80년대 학생들은 안쪽으로 들어가려는 구심력이 강했지만, 지금 학생들은 대부분 바깥쪽으로 나가려는 원심력이 더 강하다. 친구들을 경쟁 상대로 생각하는 지금 대부분 대학생에 비해, 가투에 나간 80년대 학생들은 친구를 나 대신 구속될 사람으로 여겨 한 명이라도 더 가까이에 두려고 팔짱을 꽉 껴 스크럼을 짰다. 물론 이건 누가 더 이기적이냐 이타적이냐의 문제가 아니다. 진의 구조 때문에 생겨난 자연스러운 현상이다.

80년대 대학생들이 가지고 있었던 일종의 진이라는 것은 이제 사라진 지 오래다. 물론 나도 그 시대 그러한 진법이 늘 옳았다거나 타당하다고 생각하는 것은 아니다. 진 속에 들어간 사람은 자기의 고유한 개성이나 독창적인 생각을 유지하기 어렵고, 세상을 지나치게 전쟁과 같은 형식으로 이해할 수도 있기 때문이다.

'교문 돌파'라는 이름으로 이루어졌던 거대한 진이 사라진 이후 촛불집회라는 형식이 등장했다. 특별한 지도부가 없었던 촛불집회의 진은 긴 뱀 모양으로, 곧잘 장사진의 형태를 띠었다. 길을 따라서 늘어서는 자연발생적인 이 진은 어쨌든 고립형이다. '서울시청 앞'이라는 공간으로 백만 명이 모여들어도 큰 힘을 내기는 어렵다. 진이 길어질 경우, 전국에서 급하게 전경들이 집결해 에워쌀 테니까 말이다.

그러나 지금 20대에게는 어떤 진도 존재하지 않는다. 앞에서도 말했듯이 전통적인 진은 대학별로 구성하는 분산형이었다. 대학 하나하나는 별게 아니었지만, 진을 이룬 대학들이 전국에서 시청으로 모여들어 최후의 본진을 보호하는 형국이었다. 그래서 지금도 많은 사람이 대학생들이 빠져나간 자리를 아쉬워한다. 이해할 만하다.

어쨌든 지금 20대에게도 어떤 형태로든 이제 자기들만의 진이 필요한 순간이 온 것 같다. 그런데 사실 이게 어려운 것은 이른바 '스펙 쌓기'라고 하는, 강준만식 표현을 빌리면 '각개약진 공화국'의 바로 그 각개약진이, 대학생들이 지금 상황을 타개하기 위해서 선택한 전략이라는 것이다. 그래서 결국은 명박과 그의 동맹군에게 각개격파당하고 있는 형국이다. 고용 문제에서 20대는 개별적으로 고립되어 있는데, 이것은 단순히 고용 문제만은 아니다. 세입과 세출이라는 국가 재정을 활용하는 방안에서 20대를 철저하게 고립시킨 결과기도 하다. 지금이라도 진을 가질 것인가. 그러나 이걸 누가, 도대체 어떻게 만들 것인가? 누가 20대가 활용할 수 있고, 그들의 문화적 특징에 잘 맞는 진을 만들어 줄 것인가. 그럴 사람이 대체 있기나 한 건가?

수직에서 수평으로 뻗기

이제 진이 만들어지고 움직이는 원리에 대해서 간단히 생각해 보자. '집단 심리학'의 요소와 주변 지형으로 인해 자연스럽게 만들어지는 진들도 있을 수 있지만, 대개의 경우 유기적으로 움직이는 진에는 지휘부가 있고, 깃발이 있고, 미리 약속해 둔 진법이라는 코드가 있다. 당연한 얘기겠지만, 지금의 20대에게는 이 중 어느 것도 없다. 20대를 대표하는 대학생들에게도 이런 것들이 없는데, 전체 20대에게 이런 것들이 있을 리 만무하다.

50대 이상의 우파들에게는 이러한 진이 있다. 〈조선일보〉, 〈동아일보〉 데스크에서 명령을 내리면, 일사분란하게 신문 몇 개가 자연스럽게 지도부를 이룬다. 이 지도부들이 명령하면, KBS도 따라서 움직인다. 〈조선일보〉에 '열독률 1위'라는 잘 깨지지 않는 명성을 안겨 준 50~60대 열혈독자들은 이러한 언론의 깃발 지휘에 따라 하나의 진을 이룬다. 한국 사회는 이렇게 오랫동안 움직여 왔다. 여기에서 지휘부에 해당하는 사람들이 이회창 말마따나 '한국의 메인스트림', 즉 한국의 주류가 된다. 진법만으로만 따진다면, 한국의 50대 이상 우파들은 중국에서 삼한을 통일한 사마씨들의 진법처럼 어느 세대보다 일사분란한 진법 체계를 갖고 있다. 물량도 많고, 자원도 풍부하며, 경제5단체*를 비롯한 확실한 교두보도 갖추고 있다.

★ 전국경제인연합회, 대한상공회의소, 한국무역협회, 한국경영자총협회, 중소기업중앙회.

이 진법을 딱 한번 깼던 20대가 87년 6월의 대학생들이다. 이때의 대학생들은 이제 진법보다는 게릴라전에 더 익숙해져 있다. 〈한겨레신문〉이나 〈경향신문〉은 과연 386의 지도부일까? 그렇지 않다. 사실 단일한 대오는 없는 것이 더 낫다. 한때 '구국의 강철 대오'라는 말이 유행했었다. 하지만 이제 이들은 대부분 생활인일 뿐이다. 배가 나오고 머리도 벗겨지기 시작한 아저씨들이거나 자식이 좋은 대학에 못 가면 큰일 나는 줄 아는 아줌마들이 되어 버렸다. 그러나 이들은 때때로 자신이 서 있는 곳에서 일종의 게릴라전을 펼치기도 한다. 이 게릴라전에서 최고의 장수는 아무래도 조자룡이 단기필마單騎匹馬를 벌일 때의 느낌을 많이 주는 진중권이 아닐까? 그는 남의 창을 뺏어서 사용하는 조자룡처럼 일대일로 혹은 개인이 집단과 맞서는 자리에서, 다른 사람 논리의 허점을 파고들면서 가히 조자룡에 비유할 만한 전투를 벌인다. 그러나 조자룡이 한 명 있다고 해서 이미 생활인이 되어 버린 이 사람들에게서 진이 나오는 것은 아니다.

수직적 리더십의 시대

자, 리더십과 소통이라는 측면에서 지금의 상황을 보자. 유신세대는 전형적으로 상명하복이라는 수직적 리더십에 아주 익숙하다. "시키는데 왜 말을 안 들어?"류의 말들에 익숙하고, 토론해서 소통하는 것은 거의 경험해 보지 못한 사람들이다. 지금이 열국지나 삼국지의 왕조 시대도 아닌데, 왕권주의 시절의 '국론 분열'이 나라 망친다는 신념을 가지고 산다. 토론하면 의견이 갈리게 되어 있고, 그 갈린 의견들을 서로 조정하는 것이 바로 민주주의다. 그러나 유신세대는 '국가'가 하는 일에 다른 의견을 낼 수 있고, 심지어 국가 자체를 거부하는 아나키즘적인 견해와 신념을 가진 사람들도 있다는 사실을 전혀 이해하지 못한다. 민주주의에는 일단 뽑았으면 그 사람에게 모든 것을 맡겨 버리는 '대의제 민주주의'만이 있다고 여기고, 일단 뽑아 놓은 사람의 말에는 무조건 복종해야 한다고 생각한다. 그들은 대부분 스위스 같은 나라들이 최고의 강점으로 내세우는 직접민주주의라는 민주주의 방식에 대해서는 거의 들어 보지도, 생각해 본 적도 없다. 말이 좋아 '수직적 리더십'이지, 상명하복을 소통 구조라고 이해하는 사람들이라, 하극상은 큰일 날 범죄로 알고 산다. 20대가 기성세대에 반해서 새로운 창작을 하거나 새로운 결과를 만들어 내는 것도 언제나 하극상으로만 이해하는 사람들이다.

그렇다면 '민주화의 적자'라고 늘 자부하는 386들은 좀 어떨까? 이들의 리더십도 수직적 리더십에 가깝다. 물론 기계적이고 권위적인 유신세대와 형태는 조금 다르다. 이들에게 익숙한 민주주의는 '민주집중제democratic centralism'라고 할 수 있다. 간단히 얘기하면, "모두 함께 결정하고, 결정된 것은 반드시 지킨다."는 소비에트가 작동되던 방식이 이들이 이해하는 리더십 형태다. 이것은 매우 강력한 엘리트들이 전체를 효율적으로 돌아보고 유연하게 의사 결정을 내릴 수 있다는 것을 전제로 하는 시스템이다. 그런데 생각이 바뀌어서 다른 행위를 하면 곧장 '배신'으로 간주될 위험도 품고 있다. 이런 형태의 리더십은 장군들의 '영웅적 결단' 위에 종종 서 있게 되는데, 만약에 풀어야 할 문제가 단 하나일 때, 즉 민주 대 반민주 혹은 이명박 대 반이명박처럼 구조가 간단한 문제에 대해서는 대단히 효율적이다. 그러나 문제가 복잡하고 그 문제 자체도 급격하게 진화하는 다원적 구조 안에서는 얘기가 좀 달라진다. 이처럼 중앙이 분산된 문제를 한꺼번에 떠안는 방식은 종종 문제점을 드러낸다. 반독재라는 단 하나의 문제만을 가지고 있던 87년의 전사들이, 90년대 이후 인권, 생태, 젠더와 같은 새로운 문제들을 제시한 이른바 뉴레프트 진영의 시대가 열렸을 때 잘 적응하지 못한 것도 이런 이유라고 본다. 386들에게 수평적 리더십은 아직 편한 질문은 아닌 듯하다. "시키면 시키는 대로 해!" 대신에 "결정되었으면 따라야지!"라는 민주집중제의 흔적이 더 많을 뿐이다.

잠재된 새로운 리더십

자, 그렇다면 지금의 대학생 문제로 돌아와 보자. 지금의 20대는 50대처럼 누가 권위를 내세워 움직일 수 있는 존재도 아니고, 도서관 앞에서 토론하면서 방향을 정하던(사실은 대부분의 것이 그 전날 막걸리집에서 결정되었던, 그래서 결국은 '결의'를 촉구하는 자리에 불과하였던) 386세대의 민주집중제로 움직일 수 있는 존재도 아니다. 상명하복을 받아들일 리도, 다 같이 모여서 결정하는 총회 같은 것을 열 리도 없다. 어쩌면 이것은 수직적 리더십에서 수평적 리더십으로 자연스럽게 변해 가는 과정이 아닐까 싶다. 한국은 위계에 익숙한 곳이지만, 어느덧 직접적인 의사 결정 없이도 토론이나 교감을 통해서 움직여 나가고 있다. 그런데 도대체 무엇이 수평적 리더십이란 말인가? 수평적인 것은 알겠는데, 중구난방의 토론을 거쳐 리더십이 생겨날 수 있단 말인가? 그리고 그 속에서 20대의 진이라는 것이 생겨날 수 있단 말인가?

스위스를 봐라. 대통령이 누구인지도 모르는 국민이 태반이지만, 국가의 중요한 많은 일을 지역 혹은 지역보다 더 작은 단위에서 토론해서 직접민주주의로 해결한다. 제도가 아니라 문화로, 지시가 아니라 상식으로 더 많은 것이 결정된다. 그리고 이라크 파병이나 미국과의 FTA 체결 혹은 유럽연합 가입 같은, 전체에게 영향을 미치는 일들은 국민투표로 결정한다. 대체적으로 프랑스처럼 전통적으로 중앙형 모델이 강했던 국가들도 지난 20~30년을 거치면서 분산형 직접민주주의 모델로 많이 넘어갔다. 이런 사례에서는 수평적 리더십이라는 것이 굉장히 중요해진다.

많은 사람이 20대는 민주주의도 잘 모른다고 얘기한다. 하지만 이것은 한국 사회에서 리더십 자체가 변하는 중에 나타나는 일시적인 현상일 가능성이 높다. 20대들이 50대와 다르고 또 40대와도 다른 소통과 의사 결정 방식을 만들어 내는 것은, 어쩌면 한국에서 전혀 다른 유형의 리더십 혹은 소통 방식의 등장을 위한 사회적 실험 같은 것일지도 모른다. 보기에 따라서 한국의 20대는 전혀 소통할 수 없고, 협력할 줄도 모르는 것처럼 보인다. 그러나 어쩌면 그런 그들 속에 이미 전혀 새로운 형태의 리더십이 싹트고 있는지도 모른다.

일본의 '108 영웅들'

일본의 20대 운동은 이제 어느덧 자연스럽게 30대 중반으로까지 확산되었다. 자연스럽게 20대와 30대의 운동으로 변하고 있는 중이다. 《성난 서울》의 저자로도 잘 알려진 아마미야 카린과는 서울에서 그녀를 인터뷰한 이후 그녀가 《88만원 세대》일본판 추천사를 써 주면서 친해졌다. 그녀는 극우파 록그룹 '유신적성숙維新赤誠塾'의 리드싱어로 공식적인 사회생활을 시작했다. 그러다 일본의 20대 비정규직 문제를 접하면서 우파에서 좌파로 전향했다. '유신적성숙' 그룹이 공식적으로 하는 가장 큰 행사는 5월 1일 노동절에 하는 '인디 메이데이'다. 이날 그들은 트럭에 앰프를 싣고 직접 디제잉을 하며, 일명 '사운드 데모'를 한다. 메이데이 즈음에 3일 정도 이 행사를 하는데, 2009년부터는 이탈리아, 한국, 프랑스 등에서도 관심을 보일 정도로 규모가 커졌다. 그렇다면 일본 당사자 운동은 아마미야 카린이 혼자 군계일학처럼 이끄는 것일까? 그렇지는 않다.

'파견마을' 사건

프리터라고 불리는 일본 20대들이 메이데이를 기점으로 길거리로 쏟아져 나오리라는 건 전혀 상상 못한 놀라운 일이었다. 20대들이 주도한 활동 중 이보다 더 획기적인 건 2009년 1월 1일에 벌어진 '파견마을派遣村' 사건이었다. 2008년 가을 세계는 금융위기로 휘청였다. 이 여파로 안정적인 노동조건을 자랑하던 도요타를 비롯한 일본의 대기업들이 '파견직' 노동자들을 대규모로 해고하는 사태가 벌어졌다. 해고된 이들은 대개 30대 초·중반이었다. 상상해 봐라. 비록 파견직이지만 세계적인 자동차 회사에서 근무하던 노동자들이 졸지에 '잡리스jobless'가 되고, 숙소에서도 쫓겨나 '홈리스homeless'가 되었다. 참 가혹한 일이 아닌가. 일본 기업들은 워낙 복지 시설을 잘해 놓아서 파견노동자 우리식의 비정규직에 해당되는들도 회사에서 제공하는 숙소에서 살 수 있었다.

이렇게 쫓겨난 파견직 노동자들은 2008년 12월 30일부터 히비야 공원에서 텐트를 치고 일주일 동안 '파견마을'을 만들었다. 이때 이 6백 명의 해직 노동자와 함께한 자원봉사자들만 1천 명이었고, 모금 액수만 5천만 엔이 넘게 걷혔다. 이 사건은 NHK를 비롯해 공중파에서도 집중적으로 보도되었다. 싸구려 국밥으로 신년을 맞는 파견직 노동자들의 모습이 방송되면서 일반 사람들 가슴속에도 파견직으로 대변되는 비정규직 문제가 파고들었다. 이렇게 도요타 해고 사건은 일본 노동운동사에 한 획을 긋게 되었다.

NHK가 파견마을 사건을 집중적으로 보도하던 바로 그 시각, 한국의 KBS는 보신각 종 타종 장면을 중계하고 있었다. 그런데 보신각을 에워싼 시민들이 정권을 향해 야유하자 KBS는 종소리에 섞인 이 소리를 '마스킹masking'하느라 진땀을 흘리고 있었다. NHK도 그렇게 모범적으로 정치에 민감하게 반응하는 방송사는 아닌데, 그 순간만큼은 NHK와 KBS가 달라도 너무 달라 보였다.

이 파견마을을 조직한 단체가 '반빈곤 네트워크'다. 시민단체의 연대회의와 비슷한 이 단체에는, 아마미야 카린을 비롯해서 크고 작은 단체의 영웅들이 참여하고 있다. 이들뿐만 아니라 얼굴이 잘 알려지진 않았지만, 밑바닥에서 사람들을 일일이 만나 설득해 온 진짜 영웅들도 많다. 그중 대표적인 이가 유아사 마코토라는 반빈곤 네트워크 사무국장이다.

일본의 동경대도 서울대 못지않게 겁나고 살벌한 곳이다. 동경대 정문 남쪽에 있는 '붉은 문'이란 뜻을 가진 아카몽은 동경대의 상징이자 일본의 상징이었다. 이런 동경대에서 법학과 박사 과정을 밟던 유아사는 일본 빈곤 문제의 실상을 보면서 반빈곤 운동에 투신했다. 세상이 이런데 학위가 무슨 소용이랴 싶었던 것이다. 한국만큼은 아니더라도 일본도 엄청난 학벌 사회다. 이런 분위기에서 유아사 이전에는 파견직 운동을 패배자들의 투정 정도로 보고 무능한 운동권의 의미 없는 외침 정도로 받아들였던 것 같다. 그러나 유아사가 파견직 운동 진영에 합류하면서, 일본의 주류 사회가 바짝 긴장하게 되었다. 그 결과 파견마을이라는, 일본 사회의 인식을 전환시키는 사건이 벌어진 것이다. 우리식으로 얘기하면, 서울대 법학대학원에서 박사 과정을 밟던 한 학생이 비정규직 문제를 바라보다 학교를 그만두고, 가장 뜨겁게 투쟁했던 KTX 농성장이나 기륭전자 단식장에 본격적으로 지원하는 일을 도맡는 사무국장을 하게 된 사건이라고 할 수 있을 것이다.

일본에서는 아마미야 카린이나 마쓰모토 하지메《가난뱅이의 역습》저자 같은 빈곤층을 대변하는 젊은 활동가들 외에도, 유아사 마코토 같은 이론가이자 전략가와, 지역 알바들의 노조라고 할 수 있는 '수도권 청년 유니온*' 등을 결성

★ 지역별로 이름이 다르며, 이런 수백 개의 작은 조직을 통칭해 '프리타 유니온'이라고 한다.

한 20대 지역 영웅들이 모여 20대 운동을 이끌고 있다. 이것은 마치 108명의 영웅이 결국 양산박에서 모이는 《수호지》 중반부와 비슷하다. 출신과 배경 그리고 활동 영역은 물론 취미나 기호도 제각각이지만, 이들은 일본 자본주의가 낳은 불완전한 고용과 빈곤 문제를 해결하기 위해서 모여들었다.

이런 흐름 때문에, 자민당 내부의 유력 정치인들조차 일본이 종신고용을 폐지한 것은 문제였다고 발언하는 일이 벌어졌다. 일본식 신자유주의 표현인 '네오 리베'로 인해 일본 특유의 종신고용 체계가 무너진 것은 고이즈미 총리 때의 일이다. 우정국 민영화가 이 전환을 상징한다. 그래서 고이즈미와 각료들 사이에 날카로운 신경전도 벌어졌다. 자민당에 반대하는 민주당은 유아사를 비롯한 반빈곤 진영의 목소리에 훨씬 많이 경청하는 편이다.

한국의 108 영웅은 어디에

아마미야 카린과 마쓰모토 하지메를 비롯해 '네오 리베'를 해체하겠다는 일본의 20~30대 영웅들은 이미 출발할 준비가 다 되었다. 어느 정도 진도 친상태다. 이쯤에서 한번 물어보자. 비정규직 문제가 더 심각한 곳은 일본인가, 한국인가? 이것은 엄정하게 비교할 수도 없고 비교하는 데 큰 의미도 없지만, 여러 가지 지표로 볼 때 한국의 문제가 더 심각해 보인다. 더욱이 한국의 20대 비정규직 문제는 제어되지 않는 정권의 폭주로 인해 지금보다 더 심각해질 것이다. 그러나 지금 20대들이 진을 만들 가능성은 현재로서는 매우 희박하다. 도대체 이런 한국과 일본의 차이점은 어디에서 온 것일까? 한국에 만약 양산박의 108 영웅이 등장할 거라면, 그들은 지금 어디에서 무엇을 하고 있는 걸까.

영웅은 아직 오지 않았다

지금 한국의 20대는 아무것도 하지 못한다는 말이 많다. 그러나 내가 관찰한 바로는 그렇게 무기력하지 않다. 겉으로야 그렇게 보일 수 있겠지만, 신자유주의가 한창 절정기로 치달을 무렵, 무기력한 건 20대만이 아니었다. 사실 우리 모두 그러했다. 지금 20대 가슴속에 변화를 바라는 에너지만큼은 충만하다. 현실이 어려울수록 20대들은 그런 변화를 더욱더 갈망할 것이다. 그러나 아무런 진이 없고, 그들을 위한 구조적 장치도 가지지 못해, 발산되지 못한 에너지가 속절없이 그들 안으로 파고들어 가는 상황 같다.

아무리 괜찮다며 지금 20대들을 토닥거려 봐야 현실이 나아지지 않는 한 그것은 아무 해법도 되지 못한다. 그렇다고 지금의 386들이나 유신세대들이 이들을 위해서 대신 싸워 줄 수도 없는 노릇이다. 지금의 20대들은 하나하나 흩어진 것으로 하나의 '덩어리'를 이루고 있는데, 이런 그들을 둘러싼 경제적 포위망은 견고하기만 하다. 이런 현실에서는 아무리 허술한 진이라도 없는 것보다는 낫고, 훌륭한 방패가 되어 줄 것이다. 그러나 없는 진을 어디에서 갑자기 만들어 낸단 말인가. 게다가 긴 인생은 아니더라도, 그 시간 내내 협동보다는 경쟁을 진실로 알고 있었던 이 20대들인데 말이다.

대장군이라는 하나의 구심점을 중심으로 진을 짜는 방법이 있다. 그러나 이 방법은 지금 사용할 수 없다. 지금 20대들에겐 모두 혹은 대부분이 동의할 수 있는 대장군이 존재하지 않을뿐더러, 한 사람에게 의존해서 무엇인가 하는 건 효율적일 수는 있지만 그 모습이 과히 좋아 보이지도 않는다. 모두 힘을 집중해서 하나의 선을 만들고, 이 날카로운 선으로 포위망을 뚫고 나가는 것이 가장 효율적이기는 하다. 이명박은 '노무현＝경제무능'이라는 프레임을 설정한 뒤 '경제 대통령'이라는 정말 날카로운 하나의 선을 창조해 내 기존의 진보 진영을 무기력하게 만들면서 집권했다. 한국의 우파들 역시 마찬가지다. 조중동이 집중적으로 노무현을 공략했고, 그로 인해 생긴 틈 하나로 한국의 우파들이 모두 돌진하면서 포위망이 뚫린 것이다. 그러나 선으로 흥한 자 선으로 망하는가? 시청 앞 광장으로 몰려든, "미친 쇠고기 너나 먹어!"라는 구호와 함께 만들어진 날카로운 선이, 선의 전략을 썼던 이명박 진영을 불과 6개월 만에 뚫어 궁지로 몰아넣었다. 그렇게 효과적인 전략이라고 생각되지는 않지만, 어쨌든 촛불이 만들어 낸 선의 전략은 사람들 가슴을 뒤흔들고, 집권하자마자 국가를 그냥 접수하려던 이명박 정권의 강력한 진군을 일차적으로 저지한 것이 사실이다.

그로부터 몇 달 뒤, 청와대 앞에서 '반값 등록금 공약 이행'을 주장하며 대학생들이 삭발하는 일이 벌어졌다. 이날 삭발한 48명이 구속되었다. 광우병 쇠고기보다는 등록금 문제가 당연히 대학생들에게 더 직접적이고 큰 영향을 미칠 텐데도, 등록금 투쟁에 함께한 대학생들은 적었다. 이런 대학생들 태도에 꽤 많은 이가 비아냥거렸다. 하지만 그들은 지금 20대가 포위되어 있고, 자기들의 진을 갖추지 못했다는 사실에 주목하지 않았던 것 같다. 80년대 대학생은 용감했고, 지금의 대학생은 용감하지 않다는 식의 진단에는 동의 못하겠다. 80년대에는 계엄령이라는 삼엄한 포위망을 뚫을 만한 진이 이미 있었고, 지금은 그러한 진이 사라진 이후다. 어찌 보면 세대를 넘어 전체적인 진을 갖추었던 촛불집회와 달리 자신들의 진조차 치지 못한 대학생들이 스스로 판을 만들지 못한 것은 당연해 보인다.

포위망 뚫기의 어려움

일본의 경우를 보자. 일본의 20대들은 문화·예술계와 지역이라는 두 축을 중심으로 포위망을 뚫었다. 그 결과, 일본의 프리터들은 단출하나마 자신들의 진을 갖추었다. 출판과 예술 시장이 살아 있는 일본에서 저자들과 예술가들이 먼저 포위망을 뚫었고, 한국처럼 노조 설립이 복잡하지 않고, 지역 공동체가 살아 있는 일본의 특징을 활용하여 지역 프리터 노조들을 만든 것이다. 그러나 한국의 20대들은 문화·예술계에 등단하는 것 자체가 늦을뿐더러, 설령 등단했더라도 메이저급의 문화·예술인들은 대부분 기획사에 철저히 묶여 있어 자기 목소리를 내기 어렵다. 따라서 일본처럼 문화·예술계에서 20대 대변자들이 개별적으로 먼저 포위망을 뚫어 조촐한 진의 형식이라도 갖추는 전략이 한국에서는 아직 잘 통하지 않는다. 20대가 가장 큰 힘을 발휘할 수 있는 곳이 아무래도 문화·예술계인데, 한국에서는 '앙팡테리블^{악동}'이 자본이나 국가 권력에 철저하게 길들여져 자기 목소리를 내기는 어려워 보인다.

그렇다면 학술 분야는 어떨까. 1987년 당시 스물네 살이었던 대학원생 이진경이 《사회 구성체론과 사회과학 방법론》을 집필해 큰 반향을 일으켰다. 그때 나도 이 책을 읽고 큰 충격을 받았다. 이진경의 등장은 80년대 대학생들에게 "나도 이렇게 하고 싶다."는 욕구 혹은 "이 정도는 나도 할 수 있다."는 자신감을 불러일으켰고, 별로 돈이 되지 않을 듯싶은 인문학이나 정치경제학 같은 학문 선택을 명예롭게 생각하게 했다. 이 현상은 마치 1977년 샌드 페블즈의 '나 어떡해'가 제1회 MBC 대학가요제에서 대상을 탄 이후로 대학생 그룹사운드가 백가쟁명의 시대를 맞은 것과 유사하다. 믿거나 말거나 얘기지만, 당시 많은 가수 특히 그룹사운드는 '나 어떡해'를 들으면서 "나도 저 정도는 할 수 있겠다."며 자신감을 얻었다고 한다.

그러나 학술 분야에서 지금 당장 기막힌 전략을 짜내 돌파구를 뚫을 20대 영웅을 바라는 건 너무 앞서 간 생각 같다. 신자유주의와 가까운 학문들이 각광받고, 돈으로 바꿀 수 있는 '환금성' 높은 학문들이 미어터지는 현실은 뒤로하더라도, 지금 한국 분위기에서 대학원생이 당시 이진경처럼 홀로 포위망을 뚫고 나가는 맹활약을 펼치기는 어렵기 때문이다. 먼저 그동안 학계는 무척 보수화되었다. 페어아벤트는 과학 역시 패싸움에 가깝다고 주장한다. 어느 분야 학문이든 힘을 쥔 기존 세력들에게 일방적으로 유리하다는 것이다. 이런 환경에서 크게 벗어나지 않는 우리 학문 풍토에서 지도교수의 이론을 뒤집거나 기존 학계의 담론에 대해서 "너희들 다 틀렸어!"라고 말할 학생들이 있을까?

또 석·박사 학생들을 '시다'처럼 부려 먹는 분위기에서 제2의 이진경이 당장 등장하기란 어렵다. 석사 학위를 받고, 박사 학위를 받고, 다시 포닥*

★ Post Doctor, 박사 과정을 마친 후 공부한 분야와 관련 있는 연구소나 기업 등에서 1, 2년 정도 연구하는 과정.

과정을 거치고, 그러고도 한참을 지나야 그나마 비정규직 연구원 자리라도 얻을 수 있는 지금 구조에서는 대학원을 졸업하기 전에 이미 구조에 길들여질 가능성이 높다. 지금의 대학원생들이나 젊은 연구원들에게 이런 '굴레'에서 벗어나라고 주문하는 건 너무 큰 고통이 뒤따를 잔인한 요구다. 물론 지금의 20대 중에서도 한국 사회를 뒤흔들 만큼 놀라운 학자가 나올 수 있을 것이다. 그러나 현재 한국의 학문 구조에서 그런 20대가 나오기는 사실상 불가능하다.

문화·예술계도, 학술 분야도 안 된다면 대학생들이 지금의 포위망을 뚫고 나갈 수 있는 영웅 전략은 아예 불가능한 것일까? 물론 피겨 영웅 김연아가 있고, 피델 카스트로도 감탄했던 좌완 투수 류현진이 있기는 하다. 그러나 이러한 스포츠 영웅들이 과연 자신들에게 환호하는 또래 20대들을 얼마나 대변할지는 아직 더 지켜볼 일이다. 지금까지 한국의 스포츠 영웅들은 대개 국가나 대기업을 대변했지, 또래 그룹들을 대변한 적은 거의 없다. 나는 아직 한국에서 약자를 대변하는 스포츠 영웅을 본 적이 없다. 빈민의 설움을 등에 업고 그들을 대변했던 중남미 축구 선수 펠레와 한국의 스포츠 영웅은 그 출발부터가 좀 다르다. 프로야구 1군과 2군 선수들에 대한 대우는 정규직과 비정규직의 차이보다 더 벌어져 있다. 프로야구 영웅들이 바로 프로야구 안에 존재하는 약자들도 대변해 주지 못하는데, 비정규직 또래들을 비롯한 경제적인 약자들을 대변할 수 있을까. 설령 자신이 그런 문제의식을 가지고 있더라도 그들의 에이전트나 부모들이 '돌출 발언'을 용납하지는 않을 것 같다.

누가 뚫을까

이런 문화적 자본을 갖춘 영웅들이 아니라면 이제 누가 남을까? 삼성에 취직한 사람, 고시에 붙은 사람 아니면 매우 특출한 능력으로 20대에 큰돈을 번 사람? 이들 중에 빌 게이츠같이 "돈이 세상의 전부가 아니다."라고 말할 수 있는 영웅이 나올 가능성도 있다. 특이하거나 특별한 깨달음을 가진 사람들은 언제든 나올 수 있으니까. 이순신도 '불쑥' 튀어나온 사람 아닌가. 그러므로 미리 없으리라며 문을 닫아걸 필요는 없다. 유관순이 병천장터에서 독립을 강조하면서 어른들을 설득하던 나이가 열일곱 살이다. 일본의 아마미야 카린은 '워킹 푸어*의 잔다르크'라고 불리는데, 유관순의 후예들도

★ working poor. 열심히 일해도 가난한 사람들.

'비정규직의 유관순'이라는 이름을 달고 어느 날 갑자기 튀어나와 지금 20대들을 칭칭 동여맨 포위망을 끊을지 모른다.

그러나 일반적인 사회과학적 상식으로 지금의 상황을 볼 때, 영웅이 등장해 지금의 포위망을 뚫기는 아주 어렵다고 본다. 지금으로서는 장기하와 강의석이 이러한 영웅에 가장 가까운데, 강의석은 또래들을 대변은 했지만 그들의 마음을 사고 그들과 속을 터놓고 소통하는 데에선 성공한 것 같지 않고, 장기하는 또래들의 마음을 사는 데에는 성공했지만 그들을 대변할 의사가 있어 보이지는 않는다.

그렇다면 지금의 20대 문제에 대해서 실제로 관심을 가지고 대변하기 시작한 윤도현밴드를 비롯한 앞 세대들이 이들의 영웅이 되어 줄 것인가? 이들은 일종의 '대리인'으로서 20대를 지지하고, 지원해 줄 뿐이다. 20대들이 자신들만의 진을 만드는 데 결정적인 구심점이 될 수는 없다. 당연하지 않은가? 그들은 '롤모델'이 될 수는 있을지언정, 20대의 리더가 될 수는 없기 때문이다.

쫄지 마, 안 죽어!

지금 한국에 존재하는 진 중에서 가장 강력한 것이 '지역의 진'이다. 대구나 광주나 어차피 그 지역에서 힘깨나 쓰는 사람들이 건설 사업으로 돈을 벌려는 전략에 농락당하고 있으므로, 결국 한국 자본주의가 최소한 '인간의 얼굴'을 하려면 이러한 지역 구도에서 벗어나야 한다는 것은 이제 상식이다. 콘크리트를 쏟아붓는 데 들어가는 쓸데없는 돈을 빼서 대학교 등록금 문제를 해결하거나 20대를 위한 기금을 마련하거나 아니면 하다못해 지역별 도서관이라도 더 세우는 것이 낫다는 의견에는 대개 동의할 것이다. 그러나 이러한 일이 한국에서는 벌어지지 않는다. '지역의 진'이 발동되기 시작하면, 우리는 모두 '고향 친구'를 주장하는 아버지와 어머니의 말을 따라 3세기경 위촉오가 중국을 분할하던 삼국시대로 돌아가거나 아니면 고구려, 백제, 신라의 삼국시대로 문득 돌아가고 만다. 순식간에 '지역의 진'에 갇혀버리는 것이다. 한국 안에서 대구와 광주는 서로 다른 나라에 속해 있다. 각자 쌓은 진은 지독히 완고하며, 그 앞에선 신자유주의마저 초라해진다. 누가 이 독특한 진을 그저 근대화되지 못한 지역의 온정주의로 인한 과거의 잔혼일 뿐이라고 할 것인가.

그런데 이 '지역의 진'이 우리 경제를 강력하게 움직인다. 고향이 포항인 이명박을 중심으로 만들어진 TK^{대구 경북} 정권은 이미 절정기를 지난 신자유주의의 세계로 더욱 세차게 한국을 끌고 가고 있다. 따라서 지역을 고려하지 않은 한국 경제나 정치 분석은 그야말로 반 푼의 분석에 불과하다. 사실 한국 정치를 분석할 때 지역에 대한 분석은 상수 중의 상수이며 불변의 고정상수다.

정치를 분석할 때 가장 강력한 수단이 '계급의식'이다. 그러나 한국에서 계급의식으로 움직이는 사람들은 민주노동당을 지지하는 7퍼센트 사람들과 진보신당을 지지하는 2퍼센트로 다 합쳐야 고작 10퍼센트 내외다. 나머지 90퍼센트는 별 계급의식 없이 살아간다. 이 세계 사람들은 아무리 경제적인 합리성에 따라 행위 패턴을 분석하려 해도 잘 분석되지 않는다. '그렇다'는 의미의 독일어 sein과 '그리해야 한다'의 sollen의 차이만큼이나 한국에서는 자신의 계급을 인정하는 것과 계급적으로 실천해야 한다는 말의 거리가 멀다. 지난 10년간 택시 운전사들이 자신도 노동자이면서 노동자들의 파업이나 시위를 지지하는 것을 본 적이 있는가? 그래 봐야 '화이트칼라^{사무직 노동자}'에 불과한 관리직원들이 '블루칼라^{생산직 노동자}'의 몸부림에 약간의 동정심이라도 보이던가? 일부 노조 간부나 정치투쟁에 나선 이들의 지도부가 구호로 외치는 것 외에, 정규직 노동자들이 비정규직 문제를 해결해야 한다고 집단적으로 나서는 것을 본 적이 있는가?

한국에서 사회경제적 현상을 분석할 때 대개 계급의식은 딱 10퍼센트 정도 작동한다고 본다. 그러나 실은 이들도 1/3 정도는 지역 감정에 따라, 1/3 정도는 신자유주의 논리에, 나머지 1/3은 토건국가 논리에 포섭되어 정치적 결정을 내린다. 별로 비밀도 아닌 일이다.

강남/비강남과 수도권/비수도권

그럼 지금 20대들은 어떤가. 이들의 계급의식 따위를 수치로 보여 주기는 어렵지만, 20대들 중에서 이명박이 내세운 정책을 반대하는 비율이 90~95퍼센트라는 사실은 시사하는 바가 크다. 20대들이 신자유주의를 지지하거나 신자유주의에 익숙해져 있다고 하더라도, 실제로는 한국의 '강박적 신자유주의 찬미자'들을 지지하지 않고 무언가 부수었다 짓는 걸로 먹고 살려는 국가 운영에 대해서도 찬동하지 않는다는 사실을 짐작할 수 있다.

20대들은 지역 구도에 대해서 어떻게 생각할까? 이건 아직 잘 모르겠다. 이것에 관해 여론 조사한 적이 내가 알기로는 없는데, 많은 386들이 결국 '지역의 진'에 갇힌 것처럼 지금의 20대들도 고향 선후배나 고향 사람들에게 치우친 정치를 펼칠지는 아직 내다보기 어렵다.

그러나 두 가지는 확실하다. 어느 지역보다 강남 출신 20대들은 강남과 비강남을 나누려는 성향이 강해 보인다. 이는 한국 사회가 이미 경제적 엘리트와 그렇지 않은 사람들로 확실히 나뉘고 있으며, 조금씩 귀족사회로 접어들고 있다는 사실을 보여 준다. 강남과 비강남의 구분은 이제 서울과 비서울 혹은 수도권과 비수도권의 구분보다 더 확실한 무엇이다.

또 하나 확실한 것은 지금의 대학생들에게는 경상도와 전라도보다 수도권과 비수도권의 구분이 더욱 확연하다는 사실이다. 지방 국립대의 위상은 지난 10년 동안 서서히 떨어진 것 같다. 10년 전까지만 해도 서울의 좋은 대학으로 갈지, 지방의 국립대로 갈지 고민할 정도였다. 그런데 어느 순간부터 '지잡대'_{지방 잡대학}라는 표현이 유행하더니 이 말이 퍼진 지 몇 년 안 돼 그냥 서울에 있지 않은 대학을 통틀어서 지잡대라고 불렀다. 아마 몇 년이 더 지나면, 지금 20대에서는 앞 세대들에게서 나타났던 호남과 영남 사이의 지역 구도보다는 수도권 대 비수도권의 구도가 더욱 강력해지지 않을까 싶다.

서로 다른 경제 구조

이런 한국의 20대는 하나의 경제적 조건을 공동의 운명으로 지고 살아갈 수밖에 없다. 그러나 일종의 공동체 구성원으로서 서로 같이 움직이며, 이해를 나눌 가능성은 별로 없어 보인다. 지금 20대들이 이렇게 하는 근본적인 이유는 바로 '공포' 때문인 듯하다.

인간은 원래 동굴에서 살았다. 이런 인간에게 동굴 밖 세상은 공포 그 자체였을 것이다. 호시탐탐 인간을 노리며 동굴 주위를 배회하는 사나운 맹수들과 때때로 걷잡을 수 없이 쏟아지는 폭우…. 알 수 없는 자연의 존재에 인간은 한껏 움츠러들었다. 그러나 시간이 흘러 인간들은 용감하게 굴 밖으로 뛰쳐나왔으며, 이후 문명이라는 이름으로 공포의 대상이었던 자연을 지배하게 된다. 21세기인 지금, 인간은 더는 자연을 두려워하지 않게 되었다.

그렇다고 해서 근원적인 공포마저 사라졌을까. 지금의 20대만 놓고 보면, 이들은 신자유주의란 동굴에 갇혀 공포에 떨고 있다. 마치 헤어 나올 수 없는 미로에 던져진 것처럼. 경력과 스펙 관리라는 틀에 갇힌 대학생들은 그야말로 '공포'를 내면화한 존재들이다. 한마디로 지금 20대는 잔뜩 '쫄아 있고', 겁에 질려서 자신의 바로 옆도 볼 수 없는 상태다. 이것은 어쩌면 지난 10년간 우리가 한 발만 옆으로 가도 죽을 수 있다고 교육한 결과인지 모른다.

쫄지 마, 안 죽어!

이 말을 지금의 20대들에게 이해시킬 수 있는 방법이 있을까? '성긴 사회'와 '촘촘한 사회'라는 개념을 사용해 보자.

유럽은 전통적으로 옵션이 많은 사회였다. 특히 20대들에게는 68혁명 이후로 많은 옵션이 주어졌다. 그래서 자기가 태어난 동네에서 자그만 카페를 차려 살아가는 것에서부터 기술자가 되는 것까지 모두 허용되었다. 물론 유럽의 20대들에게도 90년대부터 실업은 아주 풀기 어려운 문제가 된 것이 사실이다. 하지만 유럽 사회에서는 점점 삶의 방식을 다양하게 하고, 더 많은 복지 정책을 펴 이 문제가 폭발하지 않게 했다.

프랑스의 경우, 지금은 대통령인 사르코지가 내무부 장관이었을 때, 첫 번째 고용에 한해서 사업주가 언제든지 해고할 수 있는 '생애최초고용법'이라는 것을 시행하려고 했다. 이때 프랑스의 우파 정치인들은 68혁명을 일으켰던 대학생들의 전통적 진법이 여전히 살아 있음을 깨닫게 된다. 당시 프랑스 대학생들은 "우리는 1회용 크리넥스 티슈가 아니다."라는 구호로 파리 전역에서 들고일어났고, 결국 생애최초고용법은 철회되었다. 그런데 한국에서는 이보다 더 심각한, 아예 임금을 삭감하는 정책을 시행했는데도 아무 일도 일어나지 않았다. 이는 프랑스 대학생들이 한국 대학생들보다 더 용감하거나 진보적이어서가 아니다. 프랑스 대학생들이 한국보다 더 공동체적이며 많은 장치를 가지고 있어서도 아니다.

프랑스에서는 매년 대학생들이 학교와 전공을 옮길 수 있어서, 입학한 학교에서 반드시 졸업하지 않는 경우가 많다. 그래서 한국식의 선후배 개념 자체가 아예 없다. 프랑스 대학생들이 경제적으로 더 여유가 있는 것도 아니다. 절반 이상은 이미 부모에게서 독립해 살아가므로 대부분 학생은 정말 가난하다. 화장을 하거나 명품을 사 쓰는 대학생들이 프랑스에는 거의 없다. 대학생들 사이에서 경쟁이 한국보다 적은 것도 아니다. 들어가기는 쉽지만 나오기는 어려운 것이 유럽의 대학 시스템이다. 한국 대학에선 매년 자연스럽게 학년이 올라가지만, 프랑스에서는 평균적으로 매년 절반 정도의 학생들이 상급 학년으로 올라가지 못한다. 절대평가이기는 하지만, 교수들이 무척 까다로워 20점 만점에서 10점, 우리식으로 얘기하면 100점 만점에 50점을 받기도 여간 어려운 일이 아니다. 더욱이 한 과목이라도 일정 점수에 미치지 못하면 상급 학년으로 진학하지 못하는 과락 제도도 있다. 따라서 이들이라고 덜 경쟁하거나 학업의 부담이 적은 것은 절대 아니다.

그러나 유럽의 경제는 한국에 비하면 더 많은 다양한 삶을 가능하게 한다. 이런 현실로 인해 감옥 한번 갔다 왔다고, 대학에서 1년 유급됐다고 해서 인생이 끝날 정도로 엄청난 일이 벌어지지는 않는다. 유럽 대학생들은 중·고등학교 때 한국과 달리 독서와 사색 그리고 토론을 충분히 할 수 있는 기회를 얻는데, 그렇다고 그들이 한국 학생들에 비해 비교할 수 없을 정도로 책을 많이 읽고, 개개인마다 엄청난 철학적 사색을 한다고 보기도 어렵다. 프랑스 대학에는 한국과 달리 운동권이 탄탄하게 자리 잡고 거대한 좌파 블록도 조직되어 있을 거라고? 정치적 성향이 강한 학생 조직들이 분명히 있는 것은 사실이지만, 대학 내에서 학생 조직이 움직이는 것은 한국이 더 강하다. 최근 한국 대학에서 사회과학 동아리들이 망했다고 난리지만, 프랑스에는 일부 체육 관련 동아리를 제외하면 동아리 자체가 아예 없다.

따라서 유럽과 한국 대학생들의 상황이 다른 것은 실제로 그 나라의 경제 구조가 달라서다. 프랑스 대학생들도 지금 한국과 같은 스펙 경쟁 구조에 놓이면 별수 없다는 말이다.

'공포'에 눌린 20대

유럽이 인권과 다양성, 개개인의 특이성을 인정하는 '성긴 사회'라면, 일본은 아주 '촘촘한 사회'라고 할 수 있다. 일본 사회에선 일단 틀에서 벗어나면 다시 그 안으로 들어가기 어렵다. 사회와 집단의 기억을 아주 중요하게 여기는, 그야말로 사회 구조망이 너무 촘촘하게 짜여 있어서 개인이 자기 마음대로 뭔가를 하기 힘들다. 전문 용어를 쓰면, '명성 reputation'의 누적 함수가 사회적으로 큰 영향력을 발휘하는 사회를 '촘촘한 사회'라고 하는데 일본이 이런 경우다. 이 촘촘한 사회의 가장 반대편에 있는 사회로는, 누구든 서부에 가서 땅을 가지거나 금을 캐는 등 이전에 살았던 것과 상관없는 삶을 살 수 있었던 미국 서부 개척 시대를 생각해 볼 수 있을 것이다. 그렇다면 한국은? 물론 한국은 서부 시대에 비하면 엄청나게 촘촘한 사회지만, 일본에 비하면 또 그렇지도 않다. 여전히 한국 사회엔 빈 구멍이 많고, 누군가가 갑자기 등장하는 것도 가능하다. 일본에 비하면 몇 번의 실패는 더 용납해 줄 수 있는 사회다. 그러니 "정치는 싫다."고 얘기한 이명박이 한국 정치의 최정점인 대통령이 되어 있는 '이상한' 일도 벌어진 것 아닌가.

현실이 이러한데 왜 한국의 20대, 특히 대학생들은 잔뜩 움츠러들어 있는 걸까. 자신과 마주 보지도 못하고, 주변의 다른 이들을 보는 것도 두려워하는 걸까? '공포' 때문이라고 나는 생각한다. 신자유주의가 이식한 공포, 그것이 정신을 넘어 육체까지 지배하고 있다. 내면화되고 일상화된 이런 공포 속에서라면 창의성을 발휘하긴 어려울 것이다.

제갈량의 지위를 물려받은 촉의 강유는 원래 위나라 사람이었지만, 위나라로 돌아갈 수 없자 촉의 장수가 되었다. 제갈량이 죽은 뒤 20년에 가까운 적지 않은 세월 동안 촉의 군권을 쥔다. 그러다 유비의 아들 유선이 위군에게 항복하자 결국 자결하고 만다. 그를 미워하던 위나라 사람들이 그의 시체를 난자하였더니 간이 무려 3척^{90센티미터 정도}이나 되었다고 한다. 강유 정도의 담력을 가진 대학생이 아니라면, 뭔가 한번 해 보거나 판을 벌여 보겠다고 마음먹기 어려울 정도로 신자유주의의 공포가 지금의 대학을 뒤덮고 있다. 카프카의 〈성〉은 보이지 않는 공포를 잘 그려 낸 탁월한 소설인데, 이 작품 속의 공포가 21세기 한국 대학가에 재현되고 있는 것이다.

우정과 환대의 공간 그리고 신뢰의 복원

억지로라도 진을 만들 수 있다고 상상해 보자. 한국의 20대가 칠 수 있는 진은 기본적인 몇 개의 '코드'를 공유하는, 대단히 느슨한, 수평적인 네트워크형이 될 가능성이 높다. 이 진은 아마 우리가 기존에 알았던 것과는 매우 다를 것이다. 이러한 진에서는 '거대한 영웅'이 등장하기 어렵다.

자, 이 상황에서 지금의 20대에게 음산하게 드리운 '공포'를 걷어 내거나 20대들이 조금이라도 공포를 덜 느끼게 할 방법이 있을까? 찾기 쉽지 않다. 경제인류학에서 전통적으로 말하는 공동체 혹은 마을을 이루면서 살아가는 집단들이 가지고 있는 고전적이고 집단적인 가치들도 지금의 20대에게는 모두 낯선 개념이다. 20대가 과연 자신들의 '마을'을 지금 상태에서 이룰 수 있을까? 불가능해 보인다. 청춘의 특권인 참신성마저 공포가 집어삼킨 뒤다.

한때 한국에서 '유목민'이라는 뜻을 가진 '노마드'라는 말이 유행했다. 인류가 떠돌면서 사냥이나 나무 열매 따위로 먹고살던 때는 농사를 지으면서 정착하던 시대와 경제, 사회 모습이 분명히 크게 달랐다. 지금 20대들이 이 유목민들의 삶에서 특히 한 가지 잊고 있는 것이 있다. 몽고인들처럼 가축을 기르며 떠도는 유목민이든, 먹을 것을 채집하면서 살아가는 유목민이든, 이들은 나름대로 작든 크든 하나의 부족을 이루면서 마을 단위로 움직였다는 것이다. 지금 20대들처럼 하나하나 흩어져 있지 않았다. 벌판에서 양떼들과 혼자 서 있는 유목민, 상상이 되는가. 그러다가는 얼어 죽기 십상이다.

'고독한' 저격수들

지금의 20대가 생각하는 자신들과 가장 비슷한 이미지는 저격수sniper가 아닐까 싶다. 저격수는 일단 자리를 잡으면 이틀이고 사흘이고 계속 그 자리를 지킨다. 그리고 저격에 성공한 즉시 자리를 옮긴다. 위치가 파악되면 상대편 저격수에게서 공격을 받는다. 저격수는 사병은 쏘지 않고 하급 장교 이상을 쏘는데, 자리를 잡고 기다린 시간의 기회비용이 있기 때문이다. 취업을 위해서 끝없이 기다리고, 기다린 시간을 보상해 줄 수 있는 대기업이나 관공서 같은 곳이 아니면 취업하지 않으려는 지금 20대의 모습은 목표물을 끝없이 기다리는 고독한 저격수를 떠오르게 한다. 죽도록 혼자 열심히 해서 저격에 성공한 저격수처럼 삼성에 취직하거나 고시에 합격하는, 그 단 한 방에 목숨을 걸고 자신의 청춘을 바친다. 그러나 저격수들도 혼자 다니지는 않고, 보통은 옵서버observer라는 관측병과 함께 2인 1조를 이룬다. 또 이들은 이들을 지원하는 전체 부대의 작전 속에서 움직인다. 이것에 빗대어 한국의 교육 환경을 보면, 엄마의 지원 작전 속에 저격수 혼자 한 방을 쏘기 위해 끝없이 기다리고 있는 형국이다. 그런데 이러한 저격수들이 과연 적만 쏠까? 여차직하면, 자신과 경쟁 중인 같은 편 저격수들도 쏘지 않을까?

불신 지옥, 대학

공포의 변종은 불신이다. 학술적으로 불신을 정의하면 '믿음의 부재'다. 잔뜩 '쫄아 있는' 20대, 공포에 몸서리치는 이들이 누구에게 믿음을 주거나 누구를 믿을 수 있느냐는 또 다른 존재론적 질문이다. 겉으로만 보면, 많은 20대는 삼성을 믿고, 종신고용을 보장해 주는 공무원과 교사라는 직업을 신뢰한다. 또한 2009년을 살아가는 대부분 한국인이 그렇듯이 돈에 대한 신뢰만큼은 무한하다. 부모에 대한 신뢰 여부는 개인마다 다르겠지만, 자신들의 또래 집단 그리고 친구들은 웬일인지 신뢰하지 않는 듯하다. 좀 야박하다 싶을 정도로 또래들과 친구, 동료들을 불신하거나 때때로 경멸한다. 그들은 자신이 신뢰받을 수 없는 존재라는 사실을 대단히 잘 알고 있으며, 그런 점에서 자신의 친구들도 그렇게 보는 것이다.

또래 집단을 바라보는 측면만 놓고 보면, 지금의 10대는 20대와 확연히 다르다. 반 친구들을 믿는지 고등학생들에게 물어봤을 때, 확실히 신뢰한다고 말하는 경우가 많다. 한국의 많은 고등학생은 자신의 친구들을 위해서 무엇인가 희생할 생각도 한다. 같은 반 친구들에 대한 최소한의 믿음이 있는 것이다. 고등학생들도 대학생들처럼 상대 평가를 당하는 지금과 같은 상황에서는 친구들을 이겨야 조금이라도 나은 조건에 놓일 수 있다. 그런데도 진짜인지 아니면 말로만 그런 것인지는 모르지만, 어쨌든 같은 반 친구들을 대학생들보다 상대적으로 더 많이 믿는다.

반면에 20대는 그것이 '과'로 맺어졌든 나이로 맺어졌든 자신이 속한 '클래스'를 선뜻 믿지 않는다. 내가 관찰한 20대 중에서 자신이 속한 집단을 신뢰한다고 대답한 거의 유일한 이들은 강남의 대형교회 청년부에 소속된 20대들이었다. 청년부는 일종의 사교 집단 같아 보였다. 젠더와 나이로 접근했을 때는, 나이가 같은 사람들보다는 여성들끼리의 신뢰감이 훨씬 더 높았다. '걸 토크girl talk'라고 부를 수 있는 '여성끼리의 대화'는 서로를 더욱더 밀착시키는 힘이 있다. 이런 관찰 결과에서도 알 수 있듯이, 한국의 20대는 한마디로 자신들의 또래들을 신뢰할 만한 동기도 갖지 못하고, 신뢰받을 동기를 또래들에게 주지도 못하고 있다.

도대체 이 10대에서 20대로 넘어가는 사이에 무슨 일이 벌어지는 걸까? 또래들을 최소한이라도 믿었던 10대들이 대학에 들어가자마자 극단적으로 낱낱의 원소로 흩어지는 이유가 뭘까? 고 3과 대학 1년 사이 수능에서 입학식까지 고작 석 달이 빌 뿐인데, 이 시간에 갑자기 신뢰라는 것이 해체되어 버린다. 이것을 어떻게 설명할까. 참, 신기한 일이다. 한 가지 억지로 설명할 수 있는 방법이 있기는 하다. 특목고나 국립대는 좀 경우가 다르지만, 전체적으로 놓고 보면, 고등학교라는 공교육이 가지고 있는 신자유주의에 대한 친화성과 민간 대학이 가지고 있는 신자유주의에 대한 친화성이 다른 데 있다고 설명할 수 있다.

나의 전작 중 하나인 《조직의 재발견》을 읽은 분들은 이 설명을 더 쉽게 이해할 수 있을 것이다. 대기업이라고 해서 그 조직 내부를 완전히 신자유주의적인 경쟁 논리만으로 채우지는 않는다. 그렇게 하면 조직 자체가 작동하지 않고 조직의 관리 비용도 지나치게 비싸지기 때문이다. 한국 경제는 지역으로 내려갈수록 토건주의가 강력해지고, 중앙으로 올라올수록 신자유주의가 강해지는 형태다. 그중 신자유주의가 완고하게 또아리를 틀고 있는 곳이 바로 대학이다. 그 이데올로기의 세기는 고등학교 때와 비교할 수도 없고, 삼성이나 현대, LG와 같은 대기업에 비해서도 강력하다. 한때 먹고 살기 위해서 대기업이나 정부기관에 몸담으면서 신자유주의를 뼈저리게 몸소 겪은 나로서도 고개를 내저을 수밖에 없을 정도다.

하다못해 현 정권을 지지하는 두 축 중 하나인 자본화된 강남의 대형교회에서도 "서로 사랑하라."고 말은 한다. 그러나 대학에서는 이런 형식적인 말조차 없다. 그저 죽이고, 죽이지 않으면 내가 죽는다는, 그야말로 원초적인 생존 본능만 남아 있다. 신자유주의라고 얘기하기조차 민망한 불신과 패배감 속에서 "한 방이면 돼!"를 외치며 혼자 뛰어다니는 고립된 저격수들만이 대학 안에 득시글하다. 한마디로 한국 사회에서 대학은 죽었다. 유럽처럼 학문을 위한 공간으로 꿈꾸었든, 미국처럼 시민을 양성하기 위한 공간으로 꿈꾸었든 지금 한국 대학은 지옥 그 자체다.

단테의 《신곡》에 펼쳐진 그 지옥들을 구경하고 싶으신가. 그럼 대학, 그것도 사람들이 명문대라고 부러워하는 곳에 가서 한 학기만 같이 지내 보시라. '불신 지옥'을 직접 체험할 수 있을 것이다. 불신 지옥을 제대로 맛보려면 특히 상대와 공대를 찾으시라. 그곳은 지옥의 '정수'고, 신자유주의의 참맛(!)을 보여 준다. 법대나 행정학과에 가면 서로에게 등을 돌린 채 시험공부에만 골몰하는, 조각조각 흩어져 있는 '고립의 지옥'이 재현된 광경을 구경할 수 있을 것이다. 문학과 사학, 철학을 아우르는 '문사철'이 집중되어 있는 인문대학은 또 어떤가. 그곳에선 '이중 전공의 지옥'과 마주해야 한다. 지금 한국 대학에 가면, 어쩔 수 없이 고향을 등져야 하는 방랑객들이 어떻게 신자유주의의 지옥으로 들어가게 되는지 그 슬픈 현장을 볼 수 있다.

이런 현실에서 20대들에게 '우정과 환대의 공간'이라는 개념을 제시하는 것은 매우 껄끄러운 일이다. 배려 따위 인간에 대한 최소한의 기본 개념도 이미 지워진 이들에게 우정이나 환대를 바라다니…. 여러분은 우정이 유쾌하게 활보할 수 있는 공간을 가지고 계신가? 힘들 때 찾아가면 기꺼이 맞아 줄 환대의 공간은 있으신가? 하나 마나 한 얘기지만, 하다못해 90년대 서

태지에게 몰려가던 그 대학생들도 팬으로서 환대의 정신과 반골의 기질만은 확실히 가지고 있었던 것 같다.

이렇게 불신의 모퉁이로 몰려 어떤 쉴 공간도 없으면서 버티는 걸 보면, 지금의 20대들이 정말 강하기는 하다. 인류 역사를 돌아볼 때 이 정도로 몰리면, 저절로 그 안에서 틈새를 찾아 마을이든 뭐든 만들어 우정과 환대의 공간이 생기게 마련인데, 극단적으로 몰린 상황에서도 끝끝내 저격수처럼 혼자 버티니 말이다.

우정과 환대의 공간 되찾기

자, 우울한 얘기만 너무 했다. 이제 진 짤 궁리를 해 보자. 지금 20대들이 '관계의 결핍'에 빠져 있다고 진단할 때, 그 반대의 상태가 새롭게 진을 만들어 내는 실마리가 될 것이다. '질투와 우정'이라는 두 방향에서 지금의 20대는 질투의 방향으로 움직였다. 이 때문에 20대들이 진정으로 '우리의 친구'라고 말할 수 있는 영웅이 등장하지 못했고, 20대가 20대를 지지해 줄 수 없었던 것 아닌가. 답이 나오지 않는 경쟁에 내몰린 20대들은 외롭고도 외롭다. 관계의 결핍에 빠진 이 20대들이 다양한 관계망을 회복하게 해 주는, 우정과 환대의 공간을 다시 만들게 하는 것이 20대를 위한 진 짜기가 될 것 같다. 이건 신자유주의 절정기에 사람들이 상상했던 "너만 잘하면 된다."는, 정말 지독할 정도로 종교적인 믿음을 깨는 것이기도 하다. 이게 과연 가능할까? 희미하게나마 남아 있는 우정과 환대의 공간을 찾아 나서는 것이 쉽진 않지만, 경제인류학이라는 연구 분야에서는 해 볼 만한 주제라고 생각한다.

다시 말하지만, 지금 한국의 20대는 정말 몰릴 대로 몰렸다. 이들에게 돌파구가 없다는 사실은 누구나 안다. 이데올로기에 휘둘려 거짓말을 하거나 이들에게 '자기계발서'라고 속여 팔아먹어야겠다는 아주 비뚤어진 마케팅을 가진 사람이 아닌 한, 제정신을 가진 사람이라면 누가 연구해도 지금 20대를 지켜본 결과는 비슷할 것이다. "너만 잘하면 된다." "한 방이면 돼!"라고 신자유주의 자체인 이명박 정권이 제시하는 길로 가면 20대만이 아니라 우리 모두 다 망한다. 아주 번지르르한 '우정과 환대의 공간'을 가진 지금 50대 '강부자'들을 위해서 나머지 사람들은 매우 빠른 속도로 노예 같은 삶 속으로 빠져들 것이다.

자, 바로 옆에 있는 친구를 신뢰할 것인가, 말 것인가. 대답하지 않아도 답은 안다. 신뢰, 좋기는 한데 과연 저 친구가 잘할 수 있을까? 이런 이유로 결국 '불신'할 것이 아닌가. 자, 이 신뢰를 어떻게 회복할 것인가? 신뢰를 회복하는 것이 바로 지금의 포위망을 뚫는 방법이고, 잃어버린 영웅들의 노드_{연결 고리}를 회복하는 동시에 우정과 환대의 공간인 20대들의 마을을 다시 만드는 길이다.

시민운동으로 진 짜기

지금 20대가 아주 작게라도 우정과 환대의 공간을 열기에 신자유주의의 벽은 여전히 높다. 그들이 당장 활용할 수 있는 진도 아직 없다. 지난 2년 동안, 20대 문제에 좀 더 적극적으로 나서려는 여러 시도를 보았다. 개중엔 20대들을 위한 다양한 형식의 잡지를 만들려다 좌절한 사람도 있었다. 이 외에도 여러 시도가 있었지만 20대를 바짝 조인 포위망을 뚫기엔 역부족이었다. 자, 없는 우정과 환대의 공간을 지금에 와서 어떻게 만들고, 또 그 공간이 창조해 낼 힘으로 어떻게 지금의 견고한 포위망을 뚫어 다음 세상을 열 것인가?

장각이 이끌었던 황건적의 난, 청 말기의 백련교도의 난 아니면 갑오농민전쟁의 경우처럼 매우 특별한 종교적 권능을 가진 리더가 등장해서 갑자기 20대가 결집될 가능성은 물론 있다. 우리가 세상을 다 아는 듯해도 사실 아직 드러나지 않은 것이 많으니까 말이다. 아이작 아시모프의 《파운데이션》에서는 가장 강력해 보였던 계산 잘하는 수학자들 집단인 제2파운데이션이 전혀 예상 못했던 돌연변이인 뮬이 등장하면서 붕괴된다. 아무리 정교하게 법칙을 세워 놓아도 인간이 사회 자체에 대해서 이해하고, 특히나 앞으로 일어날 변화를 점치는 데에는 한계가 있는 법이다.

지금까지 경험으로 보면 세상을 변화시키는 방법은, 시민운동으로 사회 자체나 정책을 바꾸거나, 정당운동으로 정치적 주도권을 쥐거나, 매우 드문 방법이지만 물리적 폭력을 동원해서 단숨에 혁명 정부를 수립하는 것 정도다. 이 중에서 물리적 폭력으로 혁명 정부를 세우는 방법은 일단 제외하자. 현실적으로 불가능해 보이고, 또 지금의 20대 문제를 푸는 바람직한 방법인지 여러 측면에서 생각해 봐야 할 것 같다. 한마디로 폭력혁명론을 제쳐 놓는 것이 현실적으로나 이론적으로나 논의 테이블을 부드럽게 한다.

대리인 운동의 한계

시민운동은 근본적인 변화를 이끌어 내지 못한다는 점에서 여러 가지로 비판을 받는 방식이고, 또 한계도 명확하다. 그러나 한국에서 가장 현실적인 방법이기는 하다. 20대 문제를 놓고 얘기를 풀어 본다면, 당사자 운동과 대리인 운동으로 나누어 생각해 볼 수 있다. 먼저 대리인 운동의 관점에서 생각해 보자. 이 경우의 대리인 운동은 20대 운동 자체를 위해서 조직된 시민단체를 중심으로 이루어지는 것은 아니다. 여러 방식으로 20대 운동도 지원하는 포괄적인 운동을 하는, 즉 당사자는 아니지만 대리인 자격으로 20대 운동을 지지하는 것이다.

본격적이지는 않지만, 대리인 운동은 이미 시작되었다. 참여연대 같은 곳에서 20대를 위한 프로그램들을 기획하기 시작하였고, 당사자와 대리인 경계에서 한국청년연합이라는 단체에서는 아주 적극적으로 청년이라는 문제의식을 가지고 20대 문제에 접근하고 있다. 물론 바깥에서 지켜보기에,

KYC의 청년은 지금의 청년이라기보다 '80년대 청년'에 더 가깝다. 이 단체 자체가 80년대 총학생회에서 활동했던 사람들을 중심으로 출발한 곳이라서 그렇다. 그러므로 아직까지 이 단체는 당사자 운동을 하는 곳이라기보다는 당사자와 대리인 운동의 경계에 있다고 보는 것이 더 맞을 듯싶다.

　환경운동연합과 같은 시민단체나 지역에 뿌리를 둔 풀뿌리단체들도 내가 아는 바로는 20대 대리인 운동의 성격을 띤 프로그램을 만들고 싶어 한다. 그러나 워낙 한국에서 20대 운동이 낯선 분야인 데다 이명박 정권이 시민단체를 심하게 견제해서 당장 뭔가 움직이지는 못하는 듯하다. 그야말로 '제 코가 석 자'이니 그렇다. 이렇게 기존 시민단체들은 20대 운동을 지원할 수는 있지만, 자신이 원래 하던 일을 던지고 20대 운동에 적극 나서기에는 안팎으로 어려운 처지다. 풀뿌리단체들도 대체적으로 상황은 비슷하다. 자신이 활동하는 지역을 위해 뭔가 프로그램을 제시하고 싶어도 무엇을 해야 할지 잘 모르는 상황이라 또 새로운 일을 벌이기가 현재로선 힘들지 않을까 싶다.

만 명만 모여 보자!

현실이 이렇다면, 그것이 일본 스타일이든 아니면 또 다른 유형이든 20대가 직접 자신의 문제를 푸는, 당사자 운동을 할 수 있는 시민단체를 직접 만드는 것은 어떨까? 물론 이러한 단체를 만들려는 기획도, 시도도 있었다. 하지만 아직까지는 수면 아래에 있거나 막 싹을 틔우려는 단계에 있다고 봐야 한다. 왜 20대는 자신들을 대변할 수 있는 시민단체를 스스로 조직할 수 없는가? 이것은 앞서 길게 말했듯이, 20대가 자신들의 진을 갖기 어려운 현재 상황과 밀접하다. 일단 단체를 만드는 데 드는 종잣돈을 마련하기 어렵다. 20대들은 자신들이 하는 일을 잘 믿지 않는 경향이 있어서 그들 내부에서 직접 돈을 마련하기 어렵거니와, 외부에서 기부금을 받기도 싫지 않다. 그러나 이런 현실적인 어려움에도 불구하고 궁극적으로는 한국에 20대 당사자 운동 조직 한두 개쯤은 있어야 할 것 같다.

조직 규모가 어느 정도 되어야 한국에서 나름대로 영향력을 발휘하고 실제로 정책에도 반영할 수 있을까? 한국에서 큰 단체에 속하는 참여연대와 환경운동연합을 모델로 삼으면, 회원이 1만 명 정도는 되어야 국회나 정당들을 어느 정도 제어할 수 있다. 한국에서 20대들이 스스로 당사자 운동을 한다면, 1만 명 정도 모일까? 그 정도면 크다면 크고 작다면 작은 규모인데, 20대 문제의 시급성을 생각해 볼 때 1만 명 정도는 정말 빠른 시간 안에 모일 것 같긴 하다. 지금껏 시민단체들이 가지고 있는 문제의식은 여러 가지였지만, 그들이 제기한 하나하나 문제에 대한 사회적 민감도는 지금의 20대 문제만큼 높지는 않았다. 한국의 시민운동 역사에서 개개인의 경제적 삶과 직접적으로 연결되는, 지금의 20대 문제와 같은 것이 없었기 때문이다.

《성경》을 보면 낚시꾼 베드로 이야기가 나온다. 지금 20대에게는 베드로 역할을 할 수 있는 리더가 없고, 그런 이가 나타나지 않은 것이 치명적인 약점이다. 수평적 리더십을 가지면서도 동료들에게 신뢰를 얻을 수 있는 특별한 사람이 과연 한국에 등장할 수 있을까? 그것도 너무 늦지 않게 말이다.

구체적으로 어떻게 조직할지 생각해 보면, 좀 고전적이지만 100명이 1명의 생계를 책임지는 '백부장' 방식이 좋을 것 같다. 한 달에 1만 원을 내는 회원이 1만 명이라면, 20대 문제에만 매달리는 활동가 100명 정도가 활동할 수 있다. 80년대 대학생들은 취업한 10명이 1명의 생계를 책임지는 방식으로 전업 활동가들을 길러 냈다. 요즘 같은 상황에 적용해 보면 100

명이 1명의 대변인을 지지하는 방식이 되지 않을까 싶다. 아무리 지금의 20 대가 경제적으로 어려워도 한 달에 1만 원 정도는 자신을 대변하는 이들을 위해 낼 수 있을 것이다. 그리고 지금까지 대개 이러한 방식으로 한국에서 사회운동이 이어졌다. 지금 20대라고 해서 다른 방식이 있기는 어렵다. 대 기업에 들어가거나 공무원이 된 친구들만큼 벌이가 넉넉하진 않더라도 매 달 1만 원 정도 후원할 수 있는 1만 명의 20대가 없을까? 이건 없는 게 아 니라 눈사람을 만들 때 최초의 구심점이 될 '연탄 한 덩어리'가 없는 문제 다. 즉 수평적인 리더십을 발휘할 리더가 없다는 것이다. 그러나 아직 드러 나지 않았을 뿐 이런 역할을 할 20대는 분명 있다고 생각한다.

　한국에서 20대 당사자 운동이 중앙형 조직이든 개별적인 별도의 조직이 든 조직을 갖추고, 시민운동으로서 회원이 1만 명이 넘어서는 순간 혹은 언 젠가 1만 명이 넘으리라는 것을 사람들이 인식하는 순간, 장담하건대 한국 에서 혁명보다 더 큰 사건이 일어날 것이다. 한국 자본주의의 역사를 바꾸 고, 신자유주의의 흐름을 뒤엎으며, 지금보다 훨씬 더 '인간의 얼굴을 한 자 본주의' 혹은 사회민주주의 형식의 경제가 자리 잡는 큰 계기가 되리라 생 각한다. 자본과 노동의 관계에서 지금까지 자본이 일방적으로 끌고 가던 관 계를 역전시킬 전환점은 결국 20대 당사자 운동의 회원이 1만 명을 넘느냐 그렇지 못하냐에 어느 정도 달려 있다고 봐야 할 것이다. 물론 내일 당장 이 런 시나리오가 현실이 될 리는 없겠지만, 적어도 1년 안에는 가능하다고 생 각한다. 그러나 시민운동이라는 하나의 길만으로 20대 문제를 해결할 수 없다는 점은 기억해야 할 것이다. 가능한 한 모든 길을 열려는 시도가 있어 야 하리라.

정치운동으로 진 짜기

한국에서 시민운동보다 더 오래되었고, 한국 사회를 움직이는 중요한 하나의 축이 되는 것이 정치운동이다. '운동 정치'는 90년대 이후 시민운동이 준정당처럼 활동하면서도 자신들은 정치와 무관하다고 항변하는 것을 비판하기 위해서 쓰인 표현이다. 그러나 정치에서 자유로운 사회 활동은 사실 없다. '정치운동'은 시민운동의 영역도 포함해서 결국은 정당이라는 장치를 활용해 사회 문제를 해결하기 위한 흐름을 말한다.

한나라당을 명품 정당, 웰빙 정당이라고 가끔 비판하는 까닭은, 현실적으로 한나라당에는 이미 힘을 가진 사람들이 더 많은 힘을 가지기 위해서 참여하는 경우가 많았기 때문이다. 자신이 이미 가진 힘을 더 키우기 위해 활동하는 것을 운동이라고 부르지는 않는다. 그런 것들은 엄밀히 말해 경제 활동 혹은 정치 활동이다. 386세대들에게 민주당은 일종의 정치운동의 장이었다. 하지만 실제 그들이 국가 운영에 직접 개입할 수 있었던 지난 10년 동안 그들은 처음의 입장을 지켜 내지 못했다. 그래서 '타락한 386'이라는 말과 함께 '운동 정신을 팔아먹는다' 따위의 혹독한 비판을 받아야 했다.

현재 한국에서 그나마 정치를 운동으로 하는 곳이 민주노동당과 진보신당이다. 그러나 노회찬, 심상정, 강기갑 같은 몇 명의 영웅을 배출해 국회의원으로 만드는 데 너무 많은 사람의 삶이 희생되었다. 앞으로 어떻게 될지는 모르지만, 지금까지 역사로 볼 때 한국에서 정치운동은 그렇게 효율적인 것 같진 않다. 물론 원내에 진출한 것만도 어디냐 한다면 할 말이 없지만, 1990년 민중당을 만든 지 10년이 지난 결과물이라는 점에서 보면 그렇게 효율적이진 않다는 것이다. 좀 혹독하게 평가하자면, 한나라당으로 옮겨 간 민중당 출신 이재오와 김문수 같은 이들만 그 세월의 덕을 본 것이 아닌가.

그런데도 내가 진보 정당들을 지지하면서 힘닿는 데까지 돕고 싶은 까닭은, 이게 더 옳기 때문만이 아니라 진보 정당의 역사가 바로 내가 살아왔던 시대의 역사라서다. 그러므로 시민운동이나 민중운동과 같은 정치 바깥에 있는 운동들도 분명히 중요하지만, 궁극적인 변화를 위해서든 아니면 국가 권력을 효과적으로 견제하기 위해서라도 정치운동은 중요하다고 생각한다.

나는 이미 오래전에 학자라서 쥐는 권력을 내려놓고 살아가기로 했다. 내가 더 많은 결정권을 가지거나 더 중요한 자리에 앉아서 먼저 좋은 것을 선택하는 것은 내가 버린 삶이다. 그래서 직접 정치를 하지도 않고, 더 많은 권력을 쥐기 위해서 발버둥치지도 않는다. 또한 나보다 먼저 많은 것을 희생한 사람을 생각해야 한다는 내 양심의 소리도 저버리지 않으려 한다. 그리고 그 소리를 따라 진보 정당 쪽에 선 것이다.

그럼, 20대에게 정치운동은 어떤 의미일까. 우선 밝혀 두고 싶은 것은, 나는 개인의 정치적 소신을 전적으로 인정한다는 것이다. 한나라당의 청년 당원이든, 뉴라이트 계열의 대학생 단체 소속이든, 그 선택이 잘못되었다고 보지 않는다. 사람들은 좌파든 우파든 어떤 식으로든 정치적 선택을 하는데, 그 선택이 나와 다르다고 해서 그들을 싫어하거나 미워할 이유 없다. 한국에는 아직 없지만, 유럽에는 한나라당보다 더 오른쪽으로 치우친 인종주의를 선택한 극우파 정당이 있고, 여기에도 20대 당원들이 있다. 나는 이들의 선택도 존중하려는 편이다. 다만 정치적 지향점이 다른 사람들이 어떻게 합리적으로 결정하여 정치적, 경제적 약자들을 잘 껴안아 더 나은 사회로 나아갈 것이냐에 관심 있을 뿐이다. 한국의 헌법은 사상의 자유를 보장한다. 어떻게 보면 내 생각은, 내가 누리고 싶은 만큼 다른 사람의 사상의 자유도 폭넓게 보장하고 싶다는 것 이상은 아닐 것이다.

정당을 활용한 정치운동

자, 이 정도의 전제를 깔고 한국의 20대가 가질 수 있는 자신들만의 진과 정치운동에 대해서 생각해 보자. 지금 대학생들은 정치에 별로 관심이 없다는 것이 일반적인 평가다. 이명박 대통령 당선 때까지도 분명히 그랬다. 그러나 최근 세계적인 흐름을 보면, 2008년 미국 대선 때를 비롯해서 20대들의 투표율이 눈에 띄게 올라가는 등 정치 참여도가 높아지고 있다. 이것도 하나의 '트렌드'라면, 앞으로 한국의 20대 특히 대학생들의 선거 참여율도 분명히 2007년 대선 때보다는 높아질 것이다. 그리고 지금 20대들이 이명박 정권에 당한 게 많아, 다시 한나라당에 투표하거나 '경제 대통령' 혹은 'CEO 대통령'을 맹신하지 않으리라는 약간의 기대를 가져도 될 것 같다.

정치운동이라는 관점에서 20대의 진을 생각해 보면, 좀 더 적극적으로 정당을 활용해 볼 필요가 있다. 20대 대변자들이 정당을 잘 활용하면, 당사자 운동으로서 20대의 영향력을 더 빨리 넓힐 수 있을 것이다. 당사자 운동 중에서 정당을 잘 활용한 예가 여성운동이다. 비례대표 국회의원 중 절반을 여성으로 뽑게 한 것이다. 이것을 '끼어들기 전략'이라고 하는데, 이것은 약자들이 전체에서 일정한 지분을 확보하기 위해서 사용하는 가장 대표적인 전략이다. 만약 20대를 대변할 수 있는 20대 국회의원이 필요하다면, 민주당이나 한나라당에 표를 전제로 최소한 유권자 비례만큼 비례대표 의석 수를 확보하는 것이 유용한 전략일 수 있다. 이미 독일에서는 10대 국회의원이 등장한 적이 있고, 프랑스에서는 비록 당선권에서는 멀지만 20대 대선 후보가 20대 대표로 출마도 했다. 실제로 30대 초반의 장관들이 중요한 부처에 등용된 적도 있다. 그것도 사르코지 대통령이 집권하는 우파 정권 동안에 말이다. 국회에 20대를 대변할 수 있는 국회의원을 보낸다고 해서 현실적으로 크게 바뀔 것 같지는 않지만, 상징적으로는 적지 않은 변화를 이끌어 낼 수 있을 것이다. 여성운동의 경우, 시민운동 범주에 있는 여성단체들이 이 협상을 이끌어 냈는데, 실제로 그 효과는 시민 영역이 아니라 정치 영역에서 있었다. 20대의 경우도 유사한 흐름이 생기리라 생각한다.

그러나 내가 실제로 20대들에게 기대하는 정치운동은 비례대표제를 활용한 '끼어들기' 전략만은 아니다. 이건 정말로 한 시대에 한두 명 있을까 말까 한, 아주 특별하게 잘났거나 운이 좋은 몇 사람이 움직이는 시스템을 만들지, 전체적으로 진을 앞으로 끌고 나가는 방식은 아니다. 이 방식은 몇 개의 고정점을 앞으로 확 배치시킨 뒤 그 힘으로 전체 진을 끌고 나가는 것인데, 처음에는 효과적일지 몰라도 잘못하면 금방 후퇴하거나 심지어 아예 안 한 것만도 못한 결과를 낳을 수도 있다.

지역에서 시작하자

지금 한국의 정치에서 가장 잘못된 점은, 정치인으로 성장할 수 있는 정상적인 경로가 없다는 것이다. 한국에서 정치인이 되는 경우는 두 가지다. 방송인, 학자 혹은 고급 공무원으로 유명해졌다가 단번에 국회의원이 되거나, 많은 돈을 지키려면 정치적 권력이 필요해 국회의원이 되는 경우다. 이런 구도에서 20대가 정치에 참여할 수 있는 길은 거의 없고, 그들 자신도 돈을 벌거나 유명해지는 수밖에 없다. 그러나 지금 20대 현실에선 두 가지 조건 다 갖추기 어렵다. 누가 그렇게 유명해질 수 있고, 주체할 수 없을 정도로 많은 돈을 벌 수 있겠는가. 한국도 일본처럼 아버지가 아들에게 자신의 국회의원 지역구를 물려주는 끔찍한 지경에나 이르지 않으면 다행이다.

내가 생각하는 정상적이면서도 동시에 혁명적인 정치인이 되는 길은, 20대들이 기초의원 선거부터 출마해서 그야말로 지역에 뿌리를 둔 실제 정치인이 되는 것이다. 2002년 선거에서 시민 후보 자격으로 정당 후보가 아닌 무소속으로 출마한 몇 사람이 당선되면서 이 길이 열리는 듯했다. 그런데 나중에 기초의원 출마도 다시 정당공천제로 바뀌면서 사실상 길이 막혀 버렸다. 이 길을 다시 열기는 쉽지 않고, 기존 정당을 통해서 기초의원으로 출마해야 한다면 아무래도 민주당과 진보 정당들을 활용해야 할 것 같다. 한나라당 기초의원들은 대부분 건물 지었다 부수었다 하면서 돈 번 건설사 사장 같은 이들이다. 아무리 한나라당에서 20대 운동이라는 대의를 인정하더라도 기초의원 자리를 이들이 20대들에게 쉽게 양보하진 않을 것이다. 사실 거의 불가능하다고 봐야 한다.

그러나 민주당이나 진보 정당들의 경우는 다르다. 어차피 자신들의 기초의원들도 다 채우기 어려운 상황이라, 20대들이 얼마든지 빈 공간을 찾아내 비집고 들어갈 수 있다. 그런 뒤엔 기존 정당들이 20대 후보들을 전략적으로 지지하게 할 수도 있고, 무엇보다 공탁금 같은 선거 비용을 정당에서 지원받을 수도 있다. 결국 선거는 표를 얻기 위한 것이기 때문이다. 기초의

원 연봉은 지역구마다 조금씩 다르지만 대부분 4천만 원에서 5천만 원 선이다. 초기의 진입 장벽만 잘 넘어설 수 있다면, 지금 20대들도 충분히 기초의원에 도전해 볼 수 있다.

내가 가장 바람직하게 생각하는 20대의 정치운동은 기초의원을 2번 정도 지내면서 지역의 정치인으로 성장하는 것이다. 그래서 지금의 50~60대 기초단체장들과 싸워서, 예를 들면 구청장이나 군수 등이 되는 것이다. 이런 일이 만약에 한국에서 집단적으로 그리고 조직적으로 벌어질 수 있다면, 그 자체로 지금 우리가 상상할 수 있는 그 어떤 혁명보다도 더 큰 변화를 이끌어 낼 수 있을 것이다. 국회의원이 되는 것도 한 가지 길이겠지만, 기초의원에서 기초단체장 그리고 광역단체장으로 걸어가는 것이 지금 20대들에게는 더 가능성 있는 열린 길이다. 유신세대는 물론이고 386들도 지역 정치는 중앙에서 충분히 힘을 기른 사람이 그냥 지역으로 밀고 내려와 하는 것이라고 생각하는 경우가 많다. 이런 상황은 직접민주주의의 발전이라는 관점에서 그렇게 좋진 않다.

다시 정리하면, 20대들의 정치운동은 지역에서, 작은 공간에서부터 시작하는 것이 좋다고 생각한다. 물론 정당 속에 들어가서 말이다. 20대들이 실제로 지역에서 정책을 만들고 집행하면서 그 지역 20대들과 같이 성장할 수 있는 것이 가장 이상적이고 안정적인 방향 같다. 지역에 출마한 20대들이 그 지역 또래들의 지지를 받아 표를 얻는 길이 열린다면, 20대 당사자 조직을 꾸리는 가장 빠른 방식은 정당을 활용하는 것이다. 상상해 보자. 유신세대인 50대와 386세대인 40대가 주로 격돌하던 지역에서 민주당과 한나라당이 각각 어쩔 수 없이 20대 후보들을 내세워서 같은 20대들끼리 격돌하는 상황을. 너무 오랫동안 견제 없이 지역에서 대장 노릇을 하면서 토건경제를 이끌던 이들과 맞서는 이 흐름이, 20대들의 진을 확장시키는 동시에 한국 경제에도 새로운 흐름을 만들어 내지 않겠는가.

정치는 그 자체가 목적이 아니다. 꿈꾸어 온 이상적인 세상을 실현하기 위해서 정치를 하는 것이다. 그런 점에서 "정치가 부패했다."고만 얘기하는 것은 오히려 지금의 50대 기득권층이 청년들의 정치 참여를 방해하기 위해 일부러 꾸민 음모는 아닐까? 어떤 식으로든 20대는 정당을 활용하는 법을 배울 필요가 있다. 왜냐하면 이것은 '광장을 활용하는 법'보다 훨씬 요긴하게 20대들이 진을 갖는 데 도움을 줄 것이기 때문이다.

그러나 넘어야 할 벽은 있다. 기존 정당들은 20대의 표를 얻으려고만 할 뿐 20대를 출마시키고 싶어하진 않을 가능성이 높다. 20대 후보 때문에 누군가는 출마를 포기해야 하기 때문이다. 그러므로 20대들에게 출마 자격을 주거나 자금을 지원하는 일에 아주 옹색하게 굴 것이다. 이 기득권의 벽을 뚫고 나아가는 것은 20대의 몫이다. 현실에서 이런 힘의 싸움은 불가피하다. 이 싸움에서 이겨야 하는 까닭은 20대가 더 많이 출마하고, 더 많이 당선되는 것이 옳고, 좋은 일이기 때문이다.

이 장을 마치기 전에 한나라당에 줄을 서기로 한 20대들에게 해 주고 싶은 말이 있다. 앞에서도 말했듯이, 나는 한나라당이라는 매우 특수한 보수주의 정당을 선택하는 것도 개인적인 정치적 판단이라고 생각한다. 기왕에 참여하기로 마음먹었다면, 20대 대변자로서 역할만큼은 포기하지 말기를 바란다. 남한테 표를 몰아다 주는 사람이 되지 말고, 자신을 위해 표를 '구걸하는' 편이 더 나을 것 같다. 그래야 20대가 자신의 진을 가질 수 있고, 또 한국의 여러 다른 닫힌 분야도 뚫릴 수 있다.

편의점 알바노조, 만들 수 있다!

지금의 20대 특히 대학생들에게 노동조합이라는 말은 아주 낯설 것 같다. 현실적으로도 멀고 문화, 정서적으로도 멀 것이다. 내 경험을 돌이켜 보면, 나 역시 노동조합에 가입한 적이 한 번도 없다. 현대에는 과장으로 들어갔는데, 당시에 과장 이상은 회사 측 즉, 사용자 편이라서 노동조합에 가입할 수 없었다. 에너지관리공단에서는 또 부장이라서 노조에 가입할 수 없었다. 나중에 가입 여부를 선택할 수 있게 되었을 때는 가입서를 제출한 직후 회사를 그만둬 버려 실제로 노조원이 되지는 못했다. 지금은 강사노조에 소속되어 있다. 알 만한 사람들은 알고 있듯이, 방학 때 시간강사에게는 임금이 나오지 않는다. 그런데 성공회대의 경우엔 방학 때에도 연구비 명목으로 약간의 임금을 준다. 이런 변화가 강사노조의 활동 덕분이라고 생각한다. 마음 한구석에 노동조합이라는 것이 자리 잡은 지는 꽤 오래되었지만 말이다.

대학 다닐 때, '위장 취업' 하는 선배들이 많았다. 위장 취업은, 노동조합이 없거나 없는 것이나 다름없는 공장에 노동조합을 만들기 위해서 대학생들이 학력을 속이고 취업하는 것을 말한다. 나도 대학을 졸업하면 당연히 그렇게 공장으로 들어가 노조원으로 살아야 하는 줄 알았다. 내 주변의 사

람들은 대부분 서울에서 가까운 인천 지역의 공장에 많이 들어갔다. 나도
몇 년 더 일찍 대학에 들어갔다면 인민노련*의 일원으로 살아갔을지 모른

★ 인천 지역 민주 노동자 연맹. 1987년 결성됐으며, 지금 민주노동당의 뿌리가 된 조직이다. 진보신당 조회찬 대표
와 조승수 국회의원이 인민노련 출신이다.

다. 그러나 내가 졸업할 무렵엔 위장 취업 하는 사람들도 부쩍 줄어들어서
이런저런 주변 상황 속에서 길을 잃고 휘청대다 결국 학자의 길로 들어섰
다. 이런 배경으로 내 또래들과 동료들, 즉 80년대에 대학을 다닌 사람들
가슴속 어딘가엔 '노동조합'이라는 말이 놓여 있다.

2명이면 노조 가능

그때와 비교하면 지금 대학생이나 20대에게 노동조합이라는 말은 너무 먼
곳에 있다. 이로 인해 자신의 경제적 삶과 노동조합의 관계에 대해 깊이 생
각하지 않는 것 같다. 한국의 노조가입률은 10퍼센트 정도로, 노조가입률
이 낮기로 유명한 미국보다 더 낮다. 기계적으로만 따지면, 나중에 지금 대
학생의 10퍼센트 정도만이 노조에 가입한다고 볼 수 있는데, 정규직 취업
률 추이를 고려하면 실제 가입률은 10퍼센트보다 더 낮을 것이다. 게다가
비정규직으로 갈수록 노조 조직율이 더 떨어지므로, 지금 대학생이 노조와
자신의 경제적 삶을 관련지어 생각하게 될 가능성은 무척 낮다.

　비정규직이 점점 늘어나는 한국 현실에서 생각해 볼 수 있는 것이 일본
의 프리터 노조다. 이런 노조가 한국에서는 불가능할까. 노동조합및노동관
계조정법*을 살펴본 바에 따르면, 한국에서 지역 단위의 프리터 노조를 결

★ 1997년에 기존의 노동조합법과 노동쟁의조정법을 폐지한 후 이 법률로 통합함.

성하는 게 법적으로 불가능하지는 않다. 과거에는 최소 조합원 수 같은 규

정이 있었지만, 지금은 노조원이 2명만 돼도 노동조합을 결성할 수 있다. 기존 노조가 없는 단위 사업장과 지역에서 얼마든지 노조를 만들 수 있다. 예를 들면, 영등포 편의점 알바노조 혹은 강남 주유소 알바노조 같은 형식이 현행법으로 가능하다.

> 제5조(노동조합의 조직·가입) 근로자는 자유로이 노동조합을 조직하거나 이에 가입할 수 있다. 다만, 공무원과 교원에 대하여는 따로 법률로 정한다.
> – 노동조합및노동관계조정법 제2장 노동조합 제1절 통칙 제5조

한국의 경제활동을 생태계 구조로 본다면, 맨 밑에 있는 생산자이자 가장 약자는 바로 아르바이트로 살아가는 사람들이다. 물론 다단계 판매원처럼 이들과 별반 크게 다르지 않게 살아가는 사람들도 있지만 이들은 노동자가 아니라 '자영업자'로 분류된다. 따라서 노동자라는 잣대를 들이대면, 결국 그 맨 밑에는 아르바이트로 살아가는 사람들이 있다. 여기에 개인들의 선택인 양 '자유'라는 어감을 더해 주면 프리터가 되는 것이다.

일본에서는 비록 전체 알바는 아니지만, 수만 명의 프리터 노동자들이 지역 일반노조 형식으로 어느 정도는 자신을 방어할 수 있게 되었다. 특히 부당해고, 임금체불과 관련해서는 노조의 법률 상담과 지원이 상당한 효과를 거두고 있다고 한다. 지난해 일본에서는 고바야시 다키지가 1929년에 쓴 소설 《게공선》*이 다시 출간되어 큰 성공을 거두었다. 책이 베스트셀러

★ 게잡이 배를 무대로 가혹한 노동 현실에 신음하는 노동자들 모습을 그린 소설. 공산당원이었던 작가는 고문 후유증으로 1933년에 숨졌다.

가 된 것도 화제였지만 그보다 더 큰 화제는 이 책의 영향으로 20대 수만 명이 일본 공산당에 가입하고, 또 프리터 노조에도 적극 가입해 활동하게

되었다는 것이다. 이런 바람 때문인지 54년간의 자민당 독재 체제를 종식시킨 민주당은 비정규직을 양산하는 주범인 노동자 파견제도를 없애고, 최저임금도 올리겠다고 공약했다. 또, 가입 조건이 까다로워 가입률이 고작 20퍼센트 선에 머물던 고용보험을 알바들을 포함한 모든 노동자에게 적용시키기로 했다. 일하다 다쳐도 치료받기 어려운 지금 한국 알바들의 현실을 생각하면 놀라운 공약이 아닐 수 없다.

노조, 나로부터

지금 한국 현실에서 대부분 20대들은 알바로 먹고살아야 하는 처지에 놓여 있다. 아르바이트를 하지 않고도 대학에 다닐 수 있거나 자리가 보장된 정규직으로 일하는 20대는 극히 일부다. 이런 상황에서 지역 일반노조 같은 틀을 활용해서 '편의점노조' 혹은 '주유소노조' 같은 다양한 형태의 알바노조를 법적으로 만들 수는 있지만, 이게 도대체 한국에서 현실적으로 가능할까. 대기업에 비해 고용주의 변덕이 더 죽 끓듯 하고, 규모가 작은 곳일수록 더 형편무인지경인데, 정부가 이런 곳에까지 얼굴을 들이밀어 세심하게 주시하겠는가. 부질없는 기대다.

어떤 방식으로든 알바노조가 필요하다는 데에는 모두 동의하겠지만, 알바가 노동자인 동시에 '당사자'로 움직일 수 있는 방법을 찾기는 쉽지 않다. 그렇다면 지금의 20대 혹은 한국의 알바 노동자들은 자신들을 대신해 희생할 누군가를 목 놓아 기다리는 것일까. 일본에선 그런 누구의 희생 없이도 놀이같이 즐기면서 자신들의 노조를 만들어 냈다. 대기업 노조에서 직접 편의점을 돌아다니면서 일일이 지역 일반노조들을 만들어 주길 또한 기다리는 건 아닐까? 그들은 후원은 하되, 그런 식으로 알바노조를 만들어 주진 않을 것이다. 무엇보다도 그들은 자신들과 문화가 너무 다른 지금 20대와 마주 앉아 대화하는 것이 힘겨울 것이다.

그러므로 이 경우도 '당사자'가 키워드다. 대학 인근의 편의점에서 일하는 알바들은 대부분 그 지역 대학의 학생들이다. 이들은 노동자 중에서도 가장 밑인 알바에 불과하지만, 연간 1천만 원에 육박하는 등록금을 내는 대학의 돈줄이며, 또래 청년들 중에서 80퍼센트를 차지하는 대학생들이다. 이들이 운동을 한다면, 대리인 운동인 동시에 당사자 운동이 된다. 일단 알바 지역 일반노조를 만든다는 것은, 뭔가 희생이 뒤따르는 것이 아니라 바로 알바로서 자신들의 기본적인 지위를 보장받기 위한 것이므로 당사자 운동이다. 그리고 대학에 들어가지 않은 10대나 또래들, 이미 대학을 졸업해서 대학이라는 틀로부터 어떤 도움도 받을 수 없는 알바들을 위해 약간이라도 대리인 역할을 할 수 있다는 점에서 대리인 운동이다. 대학생들이 자기가 다니는 대학이 있는 지역에서 알바 일반노조를 만든다면, 성공 확률이 그 어떤 사회적 주체가 한 것보다 높을 것이다. 더욱이 한국은 일본에 비해 대학 진학률이 매우 높으므로, 아르바이트하는 대학생들을 중심으로 알바 일반노조를 만드는 것은 충분히 생각해 볼 수 있고, 성공 가능성도 높다.

지난 몇 년간 몇 개의 대학에서는 대학 내의 비정규직 노동자 해고에 관해 목소리를 높인 적이 있다. 깊이 새길 일이다. 이러한 시도를 대학이 속한 지역 사회로 조금만 더 넓힌다면, 그것이 알바들의 지역 일반노조를 만드는 시발점도 될 것이다.

노동조합설립신고서			처리기간
			3일
① 명칭		② 노동조합의 형태	단위노조(기업, 지역, 전국), 연합단체, 단위노조의 산하조직
③ 주된 사무소의 소재지(전화번호)		④ 조합원수	
대표자	⑤ 성명	⑥ 주민등록번호	
	⑦ 주소	⑧ 전화번호	
	⑨소속 부서	⑩ 직책번호	
⑪ 소속된 연합 단체의 명칭			

　　　　년　월　일 본인 외　명은　　　에서 노동조합 설립
총회를 개최하고 노동조합및노동관계조정법 제10조제1항의 규정에 의하여
노동조합의 설립을 신고합니다.

　　　　　　　　　　년　　월　　일

　　　대표자　　　　　(서명 또는 날인)

　　　　　　　　　　귀하

구비서류	수수료
	없음

구비서류
1. 규약 1부
2. 임원의 성명 및 주소록 1부
3. 구성노동단체의 명칭, 조합원수, 주된 사무소의 소재지 및 임원의 성명·
   주소(연합단체인 노동조합에 한함)
4. 사업 또는 사업장별 명칭, 조합원수, 대표자의 성명(2개 이상의 사업 또는
   사업장의 근로자로 구성된 단위노동조합에 한함)

※ 이 용지는 무료로 배부하여 드립니다.

3장

날자, 날자꾸나!

탈신자유주의 시대의 명문대

한국은 지독한 학벌 사회다. 이런 이유로 50대 서울대, 연세대, 고려대 출신 남성들에게 최적화되어 있다. 이들은 주로 행정관료와 경제계에 속해 있으며 한국 사회를 쥐락펴락하는 실세다. 이런 현실에서 1년에 서너 번이나 할까 말까 한 여론 조사는 사실상 눈 가리고 아웅 하는 꼴이다. 실제 대부분 일은 대통령과, 대통령과 가까이 지내는 관료와 경제계 사람들이 결정하기 때문이다. 이명박 정부가 들어선 뒤 이런 현상이 더욱 심해지긴 했지만, 노무현 정부 때라고 그렇지 않았던 건 아니다. 다만 실무진이 지금은 50대고, 그때는 40대였다는 점이 다를 뿐이다. 이처럼 한국 사회는 서울대를 정점으로 하는 3개 대학이 사실상 주요 의사 결정권을 독점하고 있는 구조다. 이것의 폐해를 알면서도 학자들은 이런 독과점 구조를 어떤 방식으로 해체할 것인지에 대해서 도통 의견을 내놓지 않는다.

　신자유주의가 활개를 친 지 10년 만에 한국도 급격히 중산층이 무너지면서 '격차 사회*' 현상이 나타났다. 이와 함께 대학생들이 '엘리트'라는 생각

★ 중산층이 무너지면서 나타나는 사회·경제 양극화 현상.

도 사라졌다. 학벌 사회에서 맨 꼭대기를 차지하던 서울대, 연세대, 고려대

안에서도 변화가 있었다. 이들 대학도 지난 10년간 신자유주의에 좀먹혀, 법대·상대·공대를 제외한 다른 학과들은 존립이 위태로운 상태다.

달라진 학생운동

한국에서 학생운동은 노동자와 농민을 위해, 사회·경제적 약자를 위해, 군부독재 정권 앞에서 목소리를 잃은 국민을 위해 대신 목소리를 내 주는, '대리인 운동'이었다. 야학 운영, 농활 등이 대표적인 대리인 운동의 흔적이다. 결국 학생운동은 엘리트들이 대리인 역할을 하는 것이었고, 80년대 중·후반 절정기에 이른다. 그런데 80년대에도 여전히 학벌은 한국에서 중요한 '상징 자본*'이었다. 서울대가 먼저 움직이고 나서 서울에 있는 다른 대학

★ 프랑스 사회학자 부르디외가 처음 쓴 말로 위신, 신망, 존엄, 명예, 명성 등을 말한다.

들이 움직이고, 그 움직임이 지방으로 퍼져 나가는 식이었다. 그 시절 학생들은 여전히 서울대가 어떻게 할 것인지를 주시했는데 그것은 일종의 습성이었다. 그런 점에서 노무현 서거 이후 이어진 시국선언들도 80년대 방식을 답습한 것 같다. 서울대 교수들이 시국선언을 하자 여기저기서 뒤이어 한 걸 보면 말이다. 그러나 지식인의 권위가 크게 떨어져 학벌이라는 상징 자본이 이제는 많이 해체되었다. 요즘은 지역의 일반 시민들도 나서서 시국선언을 하지 않는가.

80년대에는 서울대, 연·고대 학생들이 죽는 '열사' 사건이 많았다. 감옥에 간 학생도 많았고, 까닭이 밝혀지지 않은 채 군대에서 자살한 이들도 적지 않다. 이렇게 엘리트들이 먼저 희생함으로써 다수의 집단과 엘리트 사이에 균형이 잡혔다. 그러나 신자유주의 시대로 넘어오면서 이런 균형이 상당

히 깨졌고, 지식인도 별것 아닌 존재가 되어 버렸다. 좀 더 솔직히 말하면, 권한과 책임의 불균형 문제가 생겨난 것이다. 대학생의 권한은 어느 때보다 높아진 반면, 권한에 따라야 할 책임은 신자유주의가 열어젖힌 'CEO 시대'와 함께 대폭 줄어든 것이다. 좋은 사회는 개인이 어느 쪽을 선택하더라도 선택에 따르는 기대소득이 비슷하다. 이른바 수익과 위험의 확률변수를 제도적으로나 암묵적으로 잘 조정해서, 이익이 크면 위험 즉, 책임도 같이 커진다. 이것이 사회적으로 안전성과 다양성을 동시에 높이는 '다양성' 조건 중 하나다.

그런데 한국 사회는 명문대에 가면 위험은 없으면서 수익성은 높아지는 형태로 오랫동안 움직여 왔다. 이런 구조 속에서 형성된 국민경제는 당연히 어떤 식으로든 왜곡될 수밖에 없다. 특히 명문대 출신들이 사회 전 분야에서 특권을 누리면서 '간신들의 나라'가 되었으니, 그 간신들이 왕으로 떠받드는 대통령은 결국 그들의 뜻대로 움직이게 되지 않겠는가.

흐름만으로 보면, 학생운동이 대리인 운동에서 시대 변화에 맞추어 적절하게 '당사자 운동'으로 어느 정도 전환됐어야 했는데, 그러지 못한 것 같다. 학생들 말마따나 2000년대에 들어와서도 대리인 운동을 계속하는 총학생회는 '권_{운동권}'이었고, (해석이 분분하겠지만)학내 자치와 학생들의 권익을 내걸었던 당사자 운동으로 방향을 잡은 총학생회는 '비권_{비운동권}'이다. 물론 이러한 비권 총학생회장 중에는 보수 신문들이 "세상은 변했다."는 말을 하려고 인터뷰해서 조직적으로 홍보해 준 약간 황당한 이들도 있었다. 그러나 보수 신문들이 주장하듯이 비권 총학생회가 다 비권은 아니었다. 그들 중에는 90년대 중·후반 한국 대학에서 유행처럼 번졌던 그린 캠퍼스 운동의 영향으로 생태운동을 하거나 대학 생협에서 활동했던 이들도 있었다. 한마디로 운동의 방향이 달랐던 것뿐이다. 그러므로 지금 대학생들이 정치에 극단적으로 무관심한 진짜 이유는 대리인 운동에서 당사자 운동으로 전환되는 과정에서 배경이 될 만한 적절한 이론 등을 갖지 못한 데서 생긴 현상으로 해석할 수도 있다.

성공회대처럼 NGO학과를 둔 일부 학교를 제외하면 시민단체의 영향력이 미치는 대학은 사실 거의 없는 듯하다. 그보다는 80년대 학생운동을 했던 사람들이 활동하는 여러 민중단체들의 영향을 더 크게 받는다. 그런데 이런 단체들은 대학생들을 자신들의 정치적인 '편' 정도로만 여기지, 독자적으로 사유하고 결정할 수 있는 별도의 집단으로는 잘 인정하려고 하지 않는다. 그러다 보니 이런 단체의 영향을 받은 총학생회는 지금 대학생 문화와 자연스럽게 결합하지 못해 대학 안에서 섬처럼 떨어져 있고, 학생회에서 활동하는 이들은 다른 학생들에게 마치 화석과 같은 존재로 여겨지기도 한다.

이렇게 보면 요즘 학생들은 100여 명 정도의 극히 일부 '운동권 학생'과, '대체 뭐 하는 놈들인가' 싶어 이들을 뜨악하게 쳐다보는 대부분의 평범한 학생들로 이루어져 있는 듯하다. 운동 양상도 80년대에는 서울대를 정점으로 하는 중앙집중형 대리인 운동이었다면, 2000년대에는 좋든 싫든 학내 민주화를 비롯한 등록금 문제 등 자신들의 문제를 중심으로 하는 분산형 당사자 운동으로 바뀌었다. 그러므로 서울대나 연·고대가 과거처럼 특별히 리더십을 발휘해야 할 일이 이제 사라진 것이다.

주변부에서 시작된 당사자 운동

사실 당사자 운동의 중심이 된 학교는 상지대다. 한국에서 가장 독특한 도

시를 꼽으라면 나는 주저 않고 원주를 꼽겠다. 생협을 비롯해 신협, 의료생협까지 이젠 제법 알려진 대부분의 대안경제 모델이 원주에서 나왔다. 이런 지역 공동체에 생기와 활기를 지속적으로 불어넣어 주는 이들이 바로 상지대 학생들이다. 상지대 학생들을 실제로 묶어 준 것은 일부 운동권 학생들의 다소 거창한 대리인 운동의 구호가 아니라, 지역경제와 손을 잡으면서 당사자 운동을 펼친 대학 생협이다. 이곳에서 활동하던 학생들이 몇 년째 총학생회도 이끌고 있다. 한국외대나 경희대 같은 곳에서도 상지대처럼 학교 근처의 대안경제와 연계하려고 하고 있다.

서울대에도 생협이 있다. 정운찬 총장 시절을 거치면서 생협의 힘이 적이 줄어들었지만, 명맥은 유지되고 있다. 연세대는 입학과 동시에 생협 조합원으로 강제로 가입시키는지라 학생 전원이 생협 조합원이기는 하다. 하지만 학생들이 생협을 운영하기보다는 학교 자본이 백화점식으로 운용하는 것에 더 가까워서 조합원이면서도 자신이 조합원인 줄 모르는 학생도 많다. 모범적인 사례라고 보기는 어렵다. 고려대에서도 사회과학대를 중심으로 몇 년째 대학 생협을 준비하고 있다. 하지만 이미 상업적 쇼핑몰이 학교 안으로 많이 들어온 상태라 그 과정이 녹록진 않아 보인다. 이화여대의 경우는 그나마도 모범적인데, 강제 가입인 연세대와 달리 이화여대는 학생들이 자발적으로 조합원으로 가입한다. 이화여대 생협은 규모는 적어도 활발하게 움직이고 있다.

일본의 경우를 보면, 동경대는 학생들의 80~90퍼센트가 생협에 가입돼 있다. 조합원들 사이도 무척 좋고, 생협이 대학 안에서 대안사회와 대안경제를 접할 수 있는 주요한 창구 역할도 한다. 물론 동경대 안에도 최근 대형 프랜차이즈들이 밀고 들어와 학생들이 이를 제대로 막지 못한 것에 대해 사회적인 비판을 받고 있지만, 일반 쇼핑 상가가 들어오면 학교가 더 좋아지리라 여기는 한국 명문대 학생들의 생각에 비하면 그래도 동경대 학생들이 더 나은 편이다.

한국의 대학이 신자유주의 흐름 앞에서 급속히 무너진 까닭은 시대가 변해서이기도 하지만, 당사자 운동의 여러 축들을 만들어 내고 대안적 가치들을 실험해 볼 수 있는 작은 공간이 급격히 무너진 것과도 관련 있다.

난감해진 명문대생들

'시장적 가치' 즉 돈만을 바라보며 달려온 모노톤monotone한 한국 사회는 10년 만에 파국을 맞았고, 세계 경제위기와 함께 신자유주의의 절정기도 사실상 끝났다. 그렇다면 '반反신자유주의'라는 사회가 오고, 경제도 반신자유주의적인 것으로 전환될 것인가. 반공이 그 자체로 경제적 가치가 아니었던 것처럼, 반신자유주의도 그 자체로는 아무 말도 아니다. 신자유주의가 아닌 시대는 반신자유주의 시대가 아니라, 또 다른 가치를 지향하는 사회다. 생태나 젠더, 문화 등 그 자체로 경제를 움직이는 방식이면서도 지향하는 가치도 담고 있는 것들이 새롭게 실험되기 시작하고, 또 사회를 구성하는 많은 지점이 새로운 것을 지향하게 된다. 생태와 젠더 그리고 문화라는 가치들은 분명히, 아주 짧은 시간 동안 경제가 성장하면서 생긴 한국 사회의 잘못된 것들을 바로잡아 주는 한편, 여러 다른 가치가 사회의 맨 앞으로 튀어나오게 할 것이다. 이런 조짐은 지역에서, 30~40대 여성들에게서 그리고 이제 막다른 골목에 몰린 한국의 20대 안에서 보이고 있다. 생협과 사회적 기업 혹은 '소셜 벤처*' 등 다양한 이름으로 불리는 이러한 대안경제의 흐름

★ social venture, 사회적 가치와 영리를 함께 추구하는 기업. 예를 들면, 다 쓴 현수막으로 가방을 만들어 파는 회사가 여기 속한다.

은 그야말로 장강의 물줄기가 바뀌듯이 밑에서부터 조용히 그러나 매우 빠르게 우리 삶을 바꾸고 있다.

이런 변화는 확실히, 학벌 사회에서 윗부분을 차지하고 있는 명문대를 중심으로 시작되지 않았다. 대학생 그것도 이른바 명문대 학생들이 아닌 다른 사람들이 먼저 움직여 새로운 가치가 생겼다는 건 아마 한국 현대사에서 처음 벌어진 일이 아닐까 싶다. 신자유주의에서 탈신자유주의 시대로 넘어가는 전환은 교과서에 나오지 않는다. 학원에서 미리 배울 수 있는 것도 아니다. 그런 점에서 명문대 학생들은 지금의 변화 앞에서 무기력하다. 이명박 체제를 강화시켜 더 신자유주의 방향으로 가고자 해도 이미 시작된 변화를 거스를 수 없다는 건 이제 모두 아는 상식이 되어 버렸다. 그렇다고 몸에 익힌 신자유주의식 경쟁의 논리를 벗어 버리자니 난감하다. 명문대 학생들이야말로 지독할 정도로 지난 10년간 경쟁과 획일화 구조에 자신들을 완벽하게 맞추어 오지 않았는가. 잃을 것이 없는 사람들은 변화에 재빠르게 적응할 수 있지만, 잃을 것이 있다고 생각하는 사람들은 결국 가진 것을 놓지 않으려고 발버둥치다 '사회적 지탄' 세력이 되는 것, 그것이 역사가 주는 교훈이다.

좋든 싫든 이미 변화는 시작되었다. 이 속에서 20대들 별도의 판이 벌어질지 아닐지 그것만이 아직 결정되지 않은 셈이다.

68혁명과 차티스트 운동

한동안 국가를 대기업과 혼동하던 사람들이 마이크를 쥐고 맨 앞에 나선 적이 있다. 우리가 국가라고 이해하는 근대국가의 역사가 오래되지는 않았지만 그래도 주식회사보다는 오래되었다. 그러나 지금처럼 투표로 의사 결정을 한 역사는 확실히 주식회사 역사보다는 짧다.

주식회사의 의사 결정은 '1원 1표^{dollar voting}'다. 갖고 있는 주식의 수만큼 이사회에서 의사 결정권이 있고, 안정적인 운용을 위해서는 대주주가 50퍼센트 이상의 우호적 주식을 확보해야 한다. 물론 실제로 한국의 대기업들은 5퍼센트가 채 안 되는 주식을 가지고도 최대주주가 되어서 회사를 자기 집처럼 마음대로 주무른다. 이명박 대통령이 20퍼센트 안팎의 지지율을 가지고도 국가를 자기 사유물처럼 생각하는 것도 이런 대기업의 운용 방식에 너무 익숙해져서인지도 모른다.

그러나 국가에서는 주식회사와 달리 '1인 1표'라는 방식으로 결정권을 준다. 성인은 누구나 한 표의 의사 결정권을 가지고 있다. 이 표를 얻기 위해 선거가 치러지고, 중요한 일이 생겼을 때 국가는 국민투표로 결정한다. 9차 개정한 87년의 헌법은 국가의 중요한 일을 국민투표로 결정할지 말지를 대통령이 결정할 수 있게 해 놓았다. 이로 인해 지난 20여 년간 한국은 한번도 국민투표를 실시한 적이 없다. 왜냐하면 자신에게 불리할 것이 뻔한 일을 투표로 결정하는 대통령은 없을 것이기 때문이다. 원래 헌법은 선거라는 대의민주주의와 국민투표라는 직접민주주의 장치를 적절하게 사용하도록 규정하고 있지만, 우리는 국회의원과 대통령 등 정치인을 뽑는 선거에만 익숙해져서 직접민주주의를 연습하고 그것에 익숙해질 기회를 거의 갖지 못했다.

대한민국 헌법은 1948년에 만들어졌다. 당시로서는 무척 급진적이고 진보적인 내용이었다. 지금 우리가 당연하게 여기는 '1인 1표'도 이때부터 헌법에 명시되었다. 이 때문에 우리는 1인 1표가 자본주의 사회에서 어떤 과정을 거쳐 자리 잡았는지 깊이 생각해 볼 시간이 없었다. 1인 1표뿐만 아니라 근대국가의 장치들을 대부분 외국에서 그냥 가져다 써서 그것들 중 무언가가 고장 나거나 망가지면 고쳐 써야 한다는 것도 미처 생각하지 못하는 듯하다.

직접민주주의 대명사인 스위스가 전 여성들에게 투표권을 준 것이 1971년이다. 미국은 1920년, 영국은 1928년이었고, 프랑스는 2차 세계대전이 끝난 1946년이었다. 프랑스혁명 직후 주장된 여성 참정권이 그제야 실현된 것이다. 여성 참정권에 대한 이론적 주장은 19세기 중반부터 일반적이었다. 하지만 실제로 참정권의 경제적 배경이 되는 상속권은 20세기 초반이 되어서야 인정되었다. 공식적으로 딸들이 부모의 재산을 물려받을 수 있게 된 지 30~40년이 지나서야 투표할 수 있는 권리를 얻은 셈이다.

민주주의를 말할 때 반드시 언급하는 스위스조차도 1971년에야 여성들의 투표권을 인정한 것을 보면, 해방 직후 여성들에게도 남성과 똑같이 참정권을 준 한국의 제헌의회가 얼마나 진보적이었는지 알 수 있다. 물론 그냥 주어진 것과 스스로 쟁취한 것에는 그 내용에 많은 차이가 있을 수밖에 없다. 그건 스위스에선 이미 여러 번 여성 대통령이 나왔다는 사실만 봐도 알 수 있다.

노동자의 참정권을 실현한 차티스트 운동

자 그럼, 노동자는 언제 투표권을 얻었을까? 프랑스혁명 이후 모든 국민의 권리가 동등해진 것으로 대부분 알고 있지만, 실제로 이 권리를 가진 건 경제적으로 풍요로웠던 부르주아들이다. 소시민들이나 노동자에게는 투표권이 없었다. 이들은 그 후 100년이나 지나서야 겨우 투표권을 얻게 된다. 대혁명 당시 시민은 소위 부르주아들을 중심으로 구성되었기 때문에, 노동자는 물론 여성들에게도 투표권이 없었던 것이다. 아마 이대로 역사가 흘러갔다면, 어쩌면 현대 자본주의에서 민주주의는 '1원 1표'의 원칙에 따라 돈깨나 있는 사람들의 전유물이 되었을지 모른다. 그리스 시대의 민주 광장 아고라가 노예를 제외한 자유인들만의 광장이었던 것처럼 말이다.

19세기 초반은 '아름다운' 공상의 시대였다. 이 시기를 이해하는 가장 빠른 방법은 아주 매력적인 사람, 로버트 오웬을 떠올려 보는 것이다. 요즘 생협이라고 부르는 대안경제와 자본주의에 대항하는 '공동체'라는 새로운 삶의 방식들도 대부분 오웬의 손을 거쳐 세상에 나타났다. 지금 우리가 흔히 쓰는 세탁기도 오웬이 이룬 공동체에서 개발된 것이다. 오웬은 노동조합의 기틀을 닦았을 뿐만 아니라 비밀선거와 보통선거가 만들어지는 데에도 크게 이바지했다. 그래서 차티스트 운동 진영에서 고문을 맡기도 했다. 무력으로라도 잘못된 정부는 뒤집어엎어야 한다는 생각은 하지 않아서, 후대의 혁명 이론가들은 오웬을 '공상적 공산주의자'라며 비판했다.

19세기 초 영국은 지금 이명박 정부가 들어선 한국과 크게 다르지 않았다. 신자유주의가 몰려온 이후 가난한 사람들의 삶이 더 구차해진 것처럼, 1834년 영국 정부가 빈민구제 수정법을 만들어 빈민들에 대한 정책을 크게 줄이면서 사람들 삶이 더 피폐해진다. 이런 데다 영국 경제가 점점 어려워져 급기야 1837~1838년엔 불황기에 접어든다. 이런 현실에서 노동자들은 그들의 이익을 대변할 수 있는 의원을 의회에 보내야 한다는 사실을 절실히 깨닫는다. 그리고 1837년 급진파 의원들과 노동운동 지도자들이 모여서 6개 항으로 이루어진 '인민 헌장People's Charter'을 만든다. 그 내용은 다음과 같다.

1. 보통선거 실시(21세 이상 남자)
2. 매해 선거 실시
3. 무기명 투표 실시
4. 하원의원 재산 자격 기준 폐지
5. 하원의원에게 봉급 지급
6. 인구 비례에 따른 선거구 결정

국회에 이 청원서를 제출했으나, 국회는 즉각 거부했다. 이후 영국 전역에서 노동자들이 파업을 일으켰고, 이 과정에서 무력 봉기도 일어난다. 차티스트 운동 지도자들은 지속적으로 목소리를 냈고, 300만 명 이상이 이 인민 헌장에 서명했다. 이러한 일련의 과정을 차티스트 운동이라고 한다. 의회는 청원서를 몇 차례에 걸쳐 계속 거부하다 1867년이 되어서야 도시 노동자에게도 참정권을 준다. 1884년에는 농민과 광부에게, 1918년엔 여성(30세 이상이지만)에게도 준다. 결국 청원서를 제출한 후 30년 만에 의회에서 첫 공식 반응이 왔고, 여성까지 포함해서 지금의 비밀선거와 보통선거의 틀이 갖추어진 것은 인민 헌장이 만들어진 지 80년 후다. 인민 헌장 6개 항 중 두 번째 '매해 선거 실시'를 제외한 나머지 항은 결국 모두 반영되었다. 이것은 1832년 개정 선거법에서 중산계급에게도 참정권을 줘서 성인의 3퍼센트만이 투표할 수 있었던 상황을 역전시킨 것이다.

요즘 노조가 경제적 권익은 외쳐도 되지만 정치에 참여하는 것은 안 된다는 얘기들이 '세련된 담론'인 양 나온다. 그러나 차티스트 운동 과정을 지켜보면, 자본주의에서 지금과 같은 일반 민주주의가 형성된 것은 바로 노조가 정치 참여 즉, 참정권을 요구했던 19세기 초·중반의 역사 덕분이다. 만약 지금까지도 3퍼센트 정도의 재산 좀 있는 남성들만 참정권을 가지고 있었다면 어떤 세상이 되었을까. 상상하고 싶지 않다. 노조의 힘은, 좀 더 경제적인 이익을 얻으려는 경제투쟁에서 나오는 게 아니라 실제로는 정치에 참여하는 길을 여는 데에서 그리고 사회의 일반적인 문제에 관해 맨 앞에서 외칠 때 나오는 것임을 역사는 말해 준다.

68혁명과 차티스트 운동 버무리기

지금 한국의 20대가 사회를 변화시키려 할 때 모델로 삼을 만한 것이 무엇일까? 몇 가지를 생각해 봤는데, 그중 가능성 있는 것이 학생들과 청년들 그리고 여성들이 전면에 나섰던 68운동과, 요구 사항들을 내놓고 입법을 포함한 정책을 요구했던 19세기 초·중반의 차티스트 운동이다. 아무리 사회를 예측할 수 있는 기술이 정교해져도 사람들의 요구가 언제 터져 나올지는 예측하기 어렵다. 그건 한국만이 아니라 다른 어느 나라라도 마찬가지다. 혁명 혹은 그에 준하는 변화도 일이 지난 후에나 설명할 수 있지, 일이 일어나기 전에 미리 짐작하기는 아주 어렵다. 그런 점을 감안하고 20대에 관해 말하면, 지금 20대는 혁명 그 이상의 것도 일으킬 수 있는 에너지를 충분히 갖고 있다고 생각한다. 문제는 정치인들과 공무원들에게 있다. 68혁명 때의 "모든 권력을 상상력에게!" 같은 은유적인 어려운 구호를 외치면 이명박 정권의 정치인들이나 고급 공무원들, 즉 한국을 지배하는 의사 결정 권자들이 도무지 무슨 말인지 알아먹지를 못하리라는 점이다.

이렇게 보면, 한국 대학생들이 68세대만 못한 것이 아니라 지배자들이 지나치게 무식해 68 때처럼 고상하면서도 문화적인 상상력이 넘치는 혁명을 못하는 것이다. 촛불집회를 봐라. 68 때도 그렇게 많은 이가 모이지는 않았다. 그렇게 집중적으로 오래 집회하지도 않았다. 촛불집회는 규모와 기간 면에서 결코 68에 뒤지지 않는다. 그런데 왜 아무 변화가 없을까. 이것은 이쪽 문제가 아니라 저쪽 문제다. 포괄적이고 상징적인 표현을 독해 못할 만큼 저쪽이 무식하다고밖에 볼 수 없다. 그렇다고 닥치는 대로 길거리에서 부수고, 불 지르는, 프랑스에서 종종 발생하는 중·고등학생들의 폭동을 모델로 삼을까? 문명국가에서 할 짓은 못 된다. 비록 우리의 지배자들과 청와대가 문명국가 사람들이라고 하기엔 문화코드를 못 읽는 심각한 난독증 환자고, 상징과 은유를 전혀 이해 못하는 막무식쟁이라도 그들과 똑같은 방식으로 다음 세상을 열기는 좀 그렇지 않은가.

만약 지방자치단체에서 이미 시행하고 있는 주민소환제 같은 직접민주주의의 요소를 국민소환제로 가지고 있었다면, 아마 촛불집회는 68 때보다 더 크게 사회를 바꾸는 계기가 되었을 것이다. 그러나 87년 이후 한번도 헌법을 손질하지 못한 우리는 이미 지자체에서도 실시하고 있는 소환제를 정작 국가 차원에서는 하지 못하고 있다. 만약 한국에 국민소환제가 제도로서 정착되어 있었다면, 촛불집회의 양상은 전혀 달랐을 것이다. 또 20대 특히 대학생들이 "더는 우리가 할 수 있는 것이 없다."며 '자기 안의 감옥'에 갇히는 일도 없었을 것 같다. 드골 프랑스 대통령은 68혁명 여파로 자리에서 물러났다. 2차 세계대전의 영웅은 그렇게 정계를 떠났다. 이런 식의 평화로운 정권 교체는 자본주의에서 상상할 수 있는 가장 높은 단계의 정치적 판단이지만, 이게 과연 이명박과 그의 친구들을 앞에 놓고 상상할 수 있는 일인가?

상황이 이렇다면, 68 때 같은 에너지를 가지고, 차티스트 운동 방식으로 사회 변화를 시도해 보는 것이 가장 현실적이지 않을까. 이 두 운동보다 좀 더 멋지고 추상적이며 상상력을 자극하는 상징적 표현들로 새로운 경제 틀을 만들 수는 없을까? 굳이 1세기도 더 지난 차티스트 운동의 형식을 빌려야 할까? 그러나 자본주의 역사에서 차티스트 운동만큼 흐름의 갈래가 많았던 사건은 없다. 그중 가장 혁명적인 것은 세상 무서운 줄 모르고 세계를 지배하던 영국의 자본가들에게서 결국 참정권을 얻어 냈다는 점이다. 차티스트 운동처럼 명백하게, 바보가 아니라면 누구라도 이해할 수 있는 아주 쉬운 말들로 요구 사항을 내밀자. 맞춤법을 심하게 모르는 우리의 대통령도 이해하실 수 있게, 아주 간결한 메시지로.

아직 씌어지지 못한 권리선언문

고백하건대, 《88만원 세대》를 쓸 당시에는 지금의 20대들이 어떤 방식으로 움직여 나갈지 그리고 대학생들이 도대체 무엇을 해서 지금의 포위망을 뚫을 것인지에 대해서 깊이 생각하진 않았다. 그 뒤 더 생각해 보면서, 21세기 한국이라는 현장에서 20대의 기본권을 일종의 선언이나 권리장전 같은 형태로 다시 한번 설정하는, 출발점 같은 것들이 필요하다고 생각했다.

권리장전Bill of Rights은 영국 명예혁명 때 제정되었는데, 국왕에 대해서 국민들이 가지는 보편적 권리를 담고 있다. 이를 토대로 영국 헌법이 만들어졌다. 권리장전에서 장전Bill은 추상적인 방향이 아니라 헌법의 근간이 되는 내용을 이른다. 프랑스의 인권선언 역시 프랑스혁명 때 채택되었는데, 프랑스 헌법보다 먼저 포괄적 권리를 국민들에게 부여했다. 다시 말하면, 영국의 권리장전이나 프랑스의 인권선언은 헌법을 만들기 이전에 등장한, 공식적으로 최고 상위의 기본권을 규정한 것이다. 실제로도 두 나라 모두 권리장전이나 인권선언을 헌법보다 우선시한다.

한국은 경우가 조금 다르다. 건국에 필요한 것 중 하나가 헌법이라서 만들었고, 헌법의 토대가 되는, 국가와 국민 사이에 포괄적 합의 같은 것들은 이전에 없었다. 즉 영국의 권리장전이나 프랑스의 인권선언처럼 헌법 이전에 이미 사회 구성원들이 합의해 놓은 합의문이 없었다. 이건 좋고 나쁘고의 문제가 아니다. 나라마다 걸어온 길이 다르기 때문이다. 한국의 경우 만약 3·1 운동의 지도자들이 나중에 친일파로 투항하는 슬픈 역사가 벌어지지 않았다면, 3·1 운동의 독립선언문이 권리장전이나 인권선언 같은 헌법보다 더 상위의 정신을 규정하는 역할을 했을 것이다. 그러나 독립선언문의 지도자들은 거의 다 일본에 손을 들었다. 초고를 작성한 최남선마저 친일파가 되었잖은가. 이런 이유로 3·1 독립선언문의 정신이 아무리 고귀하고, 독립선언문이 독립국으로서 한국의 정신을 표현했다고 대부분 한국인이 인정하더라도 이 선언문은 아주 잘 쓴 '종이 쪼가리' 이상이 되기는 어렵다.

권리장전과 인권선언 이후의 선언들은 법 위의 법이라는 헌법보다 더 높은 위상을 갖지는 못했다. UN의 어린이·청소년 인권선언을 비롯한 많은 선언은 대체로 다음에 법을 만들 때 이런 방향으로 나아가면 좋겠다는 '권고' 정도의 의미를 띨 뿐이다. 그 자체로 실정법의 위상을 갖거나 법원에서 법 이상의 법으로서 현실의 법을 적용할 때 기준이 되지는 못한다. 만약 한국에서 20대 권리선언을 한다면, 실질적으로는 현재의 9차 개정헌법 제10조*가 규정하는 '행복추구권'의 토대 위에 세우는 것이 가장 현실적이다.

★ "모든 국민은 인간으로서의 존엄과 가치를 가지며, 행복을 추구할 권리를 가진다. 국가는 개인이 가지는 불가침의 기본적 인권을 확인하고 이를 보장할 의무를 진다."

20대가 한국 자본주의라는 특수한 상황에서 인간으로서 누리며 살 권리를 지나치게 제약받고, 또한 그런 상황이 일시적이지 않고 오래 지속될 수 있다면 이렇게 헌법이 부여한 행복추구권 위에 권리 몇 가지를 더 세울 수 있을 것이다. 실제 법은 아니지만, 앞으로 법제도를 비롯한 정책들을 세울 때 기본 방향이 될 권리들을 만드는 것이, 내가 구상했던 20대 권리선언의 대략적인 틀이었다.

비었으나 꽉 찬 선언문

경제학에서 수요라는 뜻으로 쓰이는 demand에는 요구라는 뜻도 들어 있다. 정책 '수요'와 정책 '요구' 두 말에 다 demand를 쓰므로, 결국 demand는 '요구하지 않으면 아무것도 생기지 않는다'는 뜻이다. 20대는 집단으로는 아무것도 요구하지 않기 때문에 사실상 정책적 요구를 가지고 있지 않으며, 동시에 정책 수요도 명목적으로만 있는 집단이다. 지금 20대를 한명한명 만나 보면 대부분 "너무 힘들어요." 혹은 "죽겠어요."라고 말하는데, 20대를 하나의 집단으로 간주하고 물어보면, "우린 괜찮아요, 전 정말 열심히 공부할 수 있어요, 믿어 주세요!"라고 말한다. 실질적으로 정책 수요가 없는 것은 아니지만 정책 요구는 없는, 일종의 딜레마 상황이다.

20대의 현재 모습이 이렇다고 해서 내가 '20대 권리선언'이라는, 일종의 차티스트 운동의 출발점이 될 차트선언서를 쓰는 것은 좀 아니라고 생각한다. 나는 차티스트 운동의 자문이었던 오웬이 아니고, 앞으로 그렇게 될 가능성도 없다. 민주노동당을 비롯해서 몇몇 정치 조직에서도 '20대 권리선언' 혹은 '20대 권리장전' 등의 이름으로 뭔가를 만들어 보려고 시도했던 걸로 알고 있다. 하지만 아직까지 뚜렷한 무언가가 나온 것 같진 않다.

내가 기대한 권리선언문은 A4 한 장 정도였는데, 내용보다도 도대체 누가 이것을 쓸 것인지가 더 풀기 어려운 문제였다. 20대면 누구라도 쓸 수 있고, 설령 여러 사람의 손을 거쳐 누더기처럼 보이더라도 한 사람이 아니라 수많은 보이지 않는 20대들이 쓴 글이 더 나으리라 생각했다. 사실은 《88만원 세대》를 쓴 후 2년 동안 참여연대 공부 모임에서 생긴 후속팀을 비롯해 '권리선언문' 쓸 팀을 꾸렸었다. 그런데 번번이 팀이 깨지고 말았다. 거칠게라도 한번 써 보라는 우리의 권유가 20대들에겐 큰 부담이 되었던 모양이다. 결국 2년 동안 나는 단 하나의 엉성한 초고도 읽어 보지 못했다.

20대 권리선언 같은 내용이 대중들에게 공개된 일은 있다. 학계나 운동 진영은 아니고, 극단 '드림플레이'의 연극에서였다. 미리 내용을 전해들은 것은 아니고, 그냥 멍하니 앉아서 연극을 보다가 노동권, 주거권, 건강권 등의 권리선언을 듣게 되었다. 아마도 한국에선 첫 20대 권리선언이었을 것이다. 그 장면을 보면서 나는 적이 놀랐다. 내가 대충 뼈대를 잡아 놓았던 권리선언 내용이 일부 들어가 있었기 때문이다.

이 책을 막 준비할 때, 책의 마지막에는 어떠한 식으로든 20대 권리선언을 집어넣으려고 했다. 그러나 결국 그렇게 하지 않는 것이 좋겠다로 바뀌었다. 강의를 들은 한 학생이 권리선언문을 써 보겠다고 한 적이 있긴 하다. 그 학생은 한 학기 내내 머리를 쥐어뜯으면서 고민했지만 결국 포기하고 말았다. 놀라운 일은 아니다. 아무리 어깨에서 힘을 뺀다고 한들 한 시대를 움직일 차트를 만든다는 게 어디 그리 쉬운가. 게시판에 글을 쓰듯 산뜻하게 타자를 쳐 댈 수 있는 일인가 말이다.

다시 말하지만, 이 책에는 권리선언문이 들어 있지 않다. 다만 지금까지 여러 사람이 내놓았던 권리들은 남겨 놓겠다. 우리는 비록 바닥부터 시작했지만, 우리가 마지막으로 얘기를 나누었던 그 지점에서 누가 또 출발한다면 좋지 않겠는가. 우리보다 조금 더 앞으로 나아갈 수 있을 테니까 말이다.

4대 권리 + ∞

20대 권리선언을 한다면, 과연 몇 개의 권리를 주장할 수 있을까? 물론 많으면 많을수록 좋겠지만, 실질적인 효과는 권리가 적으면 적을수록 좋다. 68혁명 때 문화적이고 추상적인 요구가 많았지만, 여성들은 '낙태권'이라는 아주 현실적이면서도 명확한 단 하나의 권리에 집중했다. 당시 요구한 나머지 것들은 68세대들이 실제로 사회에 참여하면서 아주 오랜 기간에 걸쳐서 실현되었지만, 낙태권은 아니었다. 지금도 68혁명이 가져온 가장 확실한 변화를 꼽으라면 바로 낙태권을 얻은 것이다. 여성들은 '연애의 자유'라는 아주 복합적이고 추상적인 말보다는 연애의 자유를 현실적으로 가능하게 할 수 있는 낙태권이라는 단 하나를 요구했다. 기껏 낙태권 하나를 얻기 위해서 전 세계가 움직였는가? 물론 그렇지는 않다. 하지만 추상적인 변화에 대한 요구들을 모아 내는 가장 상징적인 구호는 구체적이고 작을수록 좋다. 87년 6월항쟁의 의미를 경제사회적인 측면에서 아주 다양하게 분석할 수 있지만, 실제로 그때 길거리에서 외친 구호는 '호헌철폐 독재타도'라는 단 하나에 집중되었다.

권리1 _ 노동권

지금 20대에게 가장 필요한 권리 하나를 말하라면, '노동의 권리' 즉 노동권이다. "일하고 싶은 자에게 일자리를 주라!"는 의미의 노동권이 지금 20대에게 가장 시급하다는 데에는 아마 다 고개를 끄덕일 것이다. 물론 노동권을 자신이 경쟁해서 얻는 결과로 생각할 것인가 아니면 당연히 국가가 보장해 줘야 하는 '권리'로 이해할 것인가는 그야말로 사유의 전복이다. 1980년대 풍요의 시대를 지나 2000년, 그것도 2010년을 바라보는 지금 우리는, 실업이라는 아주 해결하기 어려운 문제와 마주하고 있다. 노동권을 행복추구권의 일부로 이해할 것인가 아니면 지금까지와 같이 승자에게 주어진 전리품 정도로 이해할 것인가. 이것은 우리가 살아갈 경제가 자본주의인지, 수정된 자본주의인지, 사회민주주의인지, 사회주의인지를 떠나서 풀어야할 첫 번째 과제다.

내가 상상하는 한국에서 미래의 노동 모습은 장기 계약이나 평생 직장 형태로 일하고, '노동 형태'가 유연한 것이다. 포디즘이 낳은 매일매일 그리고 나인 투 파이브형오전 9시~오후 5시으로 일하던 것을 확 줄여서 일주일에 이틀 혹은 사흘 일하는 자리, 한 달씩 건너뛰면서 일하는 자리 아니면 재택근무를 대폭 강화한 자리 등 그런 일자리를 많이 만들어 내는 것이다.

지식경제나 문화경제로 넘어가려면 개인들의 창의성과 함께 사회적 삶을 최대한 보장해 주어야 한다. 이를 위해서는 비정규직을 전제하는 단기 고용이 아니라 비록 일은 불규칙하더라도 장기 고용 체계로 움직일 필요가 있을 것이다. 그리고 어지간한 사회적 비용들은 기본적으로 뒷받침해 줄 수 있도록 사회 보장 체제를 갖추어야 한다. 그래서 실제로 임금 자체는 높을 필요가 없는 상황이 되어야 한다. 이런 경제 시스템을 생태경제라 하든, 문화경제라 하든, 지식경제라 하든 아니면 더 나아가서 창의경제라 하든 기본은 이 두 가지 장치, 즉 장기 고용 체계와 사회 보장 체제를 통해서 마련되어야 한다고 생각한다. 이것이 내가 생각하는 미래 노동에 대한 기본 골격이다.

이러한 형태의 노동을 뒷받침할 수 있는 개념이 '사회임금'이다. 이 사회임금은 간단히 말하면, 회사에서 일하고 받는 월급에 대비되는 말로 실업수당, 보육지원금, 기초노령연금 등 사회에서 지원받는 돈이다. 2000년 중반 현재 조사 결과에 따르면, 한국의 경우 살림살이에 들어가는 돈(가계운영비) 중에서 사회임금이 차지하는 비중이 7.9퍼센트로 무척 낮다. 그만큼 한국 노동자들은 먹고사는 데 들어가는 돈을 거의 월급에 의존하고 있는 셈이다. 그런 데다 사회임금이 대부분 월급을 토대로 산정되므로, 20대를 비정규직으로 몰아넣고, 정규직 20대 신입사원의 월급을 깎는 지금의 태도는 변해야 한다. 무엇보다 변해야 하는 것은 노동을 경제적 권리로 이해하는 것이다. 그래야 20대들에게 필요한 일자리를 만들어 주기 위해서 적절한 사회임금 체계를 세우고, 아울러 전혀 다른 대안경제도 만들어 낼 수 있을 것이다. 물론 맨 처음 변화를 이끌어 낼 가장 큰 이해 당사자는 지금의 20대들이다.

권리2_ 주거권

두 번째 20대의 권리로 나는 주거권을 주장하고 싶다. 20년째 한국의 주택정책은 주거 문제는 가족이 알아서 해결하라는 주의였다. 또 주거권이 아닌 아파트 투기를 중심으로 주거정책이 세워졌다. 건설회사들은 사회적 수요와는 상관없이 이른바 건축량을 중심으로 정부에게 집중적으로 로비하고, 어느 정도 돈이 있는 사람들은 '투기의 권리'를 중심으로 여론을 만들어 냈다. 그러다 보니, 경제적 약자의 주거권은 그냥 형식적으로 시늉만 내는 수준이 되어 버렸다. 20대들에게 별도의 주거권을 주고, 이것을 토대로 전체 주택 정책을 세우면 안 되는 걸까? 지금 주거권이 취약한 20대들이 실제 독립할 수 있게 말이다.

지금의 경제위기가 오기 3년 전에 한국만이 아니라 세계적으로 부동산 투기 붐이 일었다. 신자유주의라는 세계적인 경제 체계가 결국 부동산 거품이라는 덫에 걸리고 만 것이다. 이런 문제는 한국에서만이 아니라 프랑스에서도 일어났는데, 특히 파리와 같은 대도시에서 더 심각했다. 그 결과 학생들이 교육부를 대상으로 집단 시위를 벌였고, 결국 '사회적 주거 logement social'라는 개념에서 기숙사와 학생 아파트를 늘리는 방향으로 정책이 마련된다. 사실 한국은 대학을 사립 중심으로 운영해서 등록금만 비싸진 것이 아니라, 기숙사 등 학생들에 대한 지원마저도 미비하다. 한국에서 대학생들 주거 문제를 해결한다면 이 문제를 해결할 곳이 과연 교육과학기술부일까 아니면 토건한국을 지금까지 진두지휘하다시피 한 국토해양부일까? 나는 예산은 교육부와 국토부가 마련하고, 대학생들에게 주거를 지원하는 등의 업무는 대학 행정을 담당하는 교육부에서 하는 것이 이 문제를 가장 쉽게 푸는 방법이라고 생각한다.

20대 비정규직 문제를 얘기할 때 '사회적 주거'의 개념도 관련지어 생각해 볼 필요가 있다. 지금까지 한국에서는 평생 주거의 개념이 강했다. 하지만 결혼 전의 20~30대 비정규직 사람들이 혼자 살거나 몇 명씩 같이 살 수 있는 형태의 사회적 주거가 이제는 필요하다. 이를 국가가 주거권의 시각에서 접근하는 것이 옳을 것 같다. 40~50대들은 주택을 일종의 투기 대상으로 생각해서 '갈아타기'라는 용어로 조금씩 아파트 평수를 넓혀 가는 것을 당연한 삶의 지혜로 여기는 경우가 많다. 하지만 비정규직 사람들의 주거권에 대해서는 투기와는 전혀 다른 개념으로 접근할 수밖에 없다. 물론 1~2년 내에 주거권 문제를 풀 수는 없다. 하지만 '요람에서 무덤까지'라는 유럽 국가의 복지 장치까지는 아니더라도 비정규직 청년들과 주거권을 같이 고민하는 정책적 전환은 필요하지 않을까? 이를 위해서 '20대 주거권'이라는 측면에서 접근하는 것이 필요하다. 이것은 단순히 20대 문제만을 해결하기 위해서가 아니라 토건국가로 깊숙이 빠져든 한국이 선진국이 되려면 당연히 거쳐야 할 과정이다. 지나치게 커 버린 건설자본과 일상적인 일이 되어 버린 주택을 둘러싼 투기를 해체하는 과정 말이다.

권리3_ 보건권

세 번째로 꼭 필요하다고 생각하는 것이 20대의 보건권이다. 물론 미국에서 한국의 의료보험 제도를 벤치마킹할 정도로 한국의 의료보험 제도는 우수한 편이다. 하지만 유럽에 비하면 아직은 취약한 부분이 많다. 일례로 아르바이트로 먹고사는 사람들은 고용주의 편법으로 여전히 4대보험의 적용을 받지 못하는 경우가 많고, 실직자들은 건강의료보험료를 직장에 다니는 다른 가족에게 맡길지 지역의료보험에 가입해 넣지 고민한다. 20대 때에는 어지간해서는 병원에 잘 안 가려고 하고, 넉넉하지 못하거나 시간이 없어서 아픈 데도 참는 경우가 많다. 게다가 경제 활동을 하지 않는 니트족* 20대

★ 취업이 안 돼 일하지도 못하고 일할 의지도 없는 청년들.

들도 늘어날 가능성이 아주 높은데, 이들의 보건 문제에 대해서는 다른 경

제 취약 계층에 비해서 상대적으로 사회적 안전망이 약한 것이 사실이다.

신자유주의에 깊이 물든 사람들에겐 '무상'이라는 단어가 거부감을 일으킬지도 모르겠지만, 나는 최소한 20대 특히, 그중에서 비정규직이나 아르바이트로 먹고사는 이들에게는 무상으로 치료해 줘야 한다고 생각한다. 물론 부모의 의료보험에 편입되고, 부모한테 치료비를 달라면 되지 않느냐고 좀 무책임하게 말할 사람들도 있겠지만, 스무 살이 넘어서도 그렇게 살고 싶은 이들이 얼마나 될까 싶다. 그들이 머리 숙이지 않고 당당하게 살 수 있게 20대 보건권이라는 전제 아래서 무상의료 개념을 점점 넓혀 가는 것이 필요하다. 이것이 언젠가 구현해야 할 복지국가의 밑그림 아닐까.

국민소득 2만 달러 시대 운운하면서 20대 비정규직과 알바생들 그리고 아예 소득이 없는 니트족들에게 "니들 건강은 니들이 알아서 챙겨?"라고 말하는 것은 좀 야속하고 야박한 일이다. 프랑스는 5천 달러 시절에 이미 '문화 복지'라는 개념으로 문화 향수권* 역시 공공 복지의 개념에 포함시켰

★ 예술 작품의 아름다움 따위를 음미하고 즐길 수 있는 권리.

다. 우파 정권이 거의 15년째 집권 중이지만 이런 기본 틀은 여전히 흔들리지 않고 있다.

지금까지의 경제 피라미드에서 20대가 약자인 적은 없었다. 20대는 늘 기회의 세대라고 했다. 하지만 지금 한국 20대는 더는 그런 기회를 누리기 어렵고, 대부분 경제적 약자 혹은 경제적 소수자가 되어 버렸다. 이런 이들에게 최소한의 무상의료를 실시하는 게 그렇게도 어려운 일일까? 돈이 없거나 아까워서가 아니라, 자기들 말을 잘 듣지 않는 20대가 꼴 보기 싫어서 안 해 주는 건 아닐까? 2만 달러 시대가 온다면, 문화 향수권이나 안전한 음식을 먹을 권리 같은 고급 권리는 몰라도 보건권 정도는 확실히 보장해 주는 것이 옳을 것 같다. 아무리 신자유주의라는 이념이 경제관료와 보수적

정치인들의 머리에 꽉 들어차 있더라도, 그들이 최소한 인간으로서 양심을 가지고 있다면 같은 시대를 살아가는 20대의 보건권 정도는 해결해 주기를 바란다.

권리4_ 교육권

노동권, 주거권, 보건권 이 세 가지는 20대가 먹고살기 위한 최소한의 기본 권이다. 여기에 한 가지 더 추가하고 싶은 것이 교육권이다. 대학 등록금 그리고 외국어와 취직하기 위한 각종 공부 때문에, 20대는 자신들 처지에선 상당히 버겁게 지출하고 있는 것이 사실이다. 이런 현실에 대해 대학은 의무교육이 아니므로 대학 다니면서 드는 돈은 개인들이 내는 것이 옳다고 주장할 사람이 많을 것이다. 이런 단순한 시각은 신자유주의적 사고에 길들여진 탓이다.

그러나 한국 경제 상황에서는 대학 교육뿐만 아니라 실무 교육 등에도 '사회적 접근'이 필요하다고 생각한다. '반값 등록금'이 대선 공약이었으면, 지키는 시늉이라도 해야 할 터인데, 이게 무슨 대단한 시혜라도 되는 양 전혀 아무런 몸짓도 하지 않는 것이 현재 정부 모습이다. 포괄적으로 20대의 교육권을 설정하고, 여기에서부터 대학 등록금 문제와 실무 교육이나 직능 교육, 문화 교육 비용 같은 것들을 사회적으로 어떻게 해결할지 접근할 필요가 있다. 가능하다면 지자체에 더 많은 예산을 배정하고, 일종의 '교육 쿠폰' 같은 것들을 통해서 20대를 중심에 놓고 평생 교육 체계를 대폭 강화하면, 20대들의 경제적 삶을 실제로 지원하는 효과가 있을뿐더러, 지금까지 말로만 외치던 지식경제의 기반도 강화할 수 있을 것이다.

사실 건물을 지었다 부수었다 하는 걸로 돌아가는 경제 구조를 해체하는 건 좌우의 문제는 아닌 것 같다. 사실 사람이 더 사람답게 살아갈 수 있게 투자하는데, 무슨 좌우가 필요하겠는가. 실제 민주 정부라고 부른 정권이 들어섰을 때에도 토건경제는 전혀 완화되거나 해체되지 않았다. 그러다 보수 정권이 들어서면서(실제 보수 그 자체는 토건주의를 지지하지는 않지만) 대단한 속도로 토건경제로 밀어붙였다. 20대의 기본권을 설정하고, 그러는데 거치적거리는 문제를 풀어 나가는 것은 좌우를 넘어서 토건경제를 해체하는 효과를 낳는다. 참 눈물겹다. 동일한 세원을 놓고, 지금의 20대와 시멘트는 일종의 경쟁 관계에 놓여 있다. 복지라는 시각에서 20대에게 돌아갈 돈이 지금 20대들이 눈만 껌벅거리고 있는 사이에 시멘트에 그냥 넘어가는 꼴이 아닌가? 사람 낳고 시멘트 낳지, 시멘트 낳고 사람 낳나.

남은 논의들

경제가 어려워지면 약자들이 먼저 고통을 겪는다. 이건 어느 시대를 막론하고 불변의 진리다. 자본주의 경제에서는 계획해 생산하는 것이 아니어서, 호황과 불황이 주기적으로 교차하게 되고, 때때로 그런 단순한 주기보다도 더 골이 깊게 구조를 전환시키는 경제위기가 등장한다. 이런 위기의 순간에는 얼마나 약자들의 고통을 줄이고, 토론과 논쟁을 거쳐 합리적으로 해법을 찾으면서 다음 단계로 넘어가느냐가 무척 중요하다. 그것이 좋은 정부와 나쁜 정부를 판가름하기 때문이다.

지금까지 얘기한 노동권, 주거권, 보건권, 교육권 이 네 가지는 정말 기본적인 대원칙에 해당된다. 이 네 권리를 전제로 정책을 디자인하면, 20대 문제에 관한 한 훨씬 많은 해법을 찾아낼 수 있을 것이다. 그런데 문제는 이 해법들을 찾기 위한 최초의 시도를 어떻게 부추길 것이냐이다. 그런 점에서 나는 일종의 '20대 혁명'을 기다리고 있다. 그 혁명은 아마도 레닌이 했던 국가 전복과는 다르며, 문화를 전면에 내걸었던 68혁명과도 양상이 좀 다를 것이다.

20대와 젠더, 지역경제

지금까지 젠더라는 변수는 집어넣지 않고 논의했는데, 아직 합의된 것은 없지만 여성 20대 문제에 대해서 지금까지 논의된 것을 잠깐 언급할까 한다. 그중에서도 가장 중요하게 대두되었던 여성들의 대체복무에 관해서 얘기하겠다.

군 복무 문제는 워낙 민감해서 잘 건드리지 않는데, 언젠가는 어떤 곳으로든 방향을 잡아야 한다고 생각한다. 지금 한국은 기본적으로 매년 7~8퍼센트씩 국방비 예산을 늘리고 있다. 경제위기인데도 경제성장률을 웃도는 국방비 지출은 당분간 계속될 것이다. 아마 북핵 문제로 위기감을 느낀 국민들은 대부분 기꺼이 많은 돈을 국방비에 쏟아붓는 데에 동의하리라.

지금 한국군의 장기적인 계획은 무기를 현대화하는 것이다. 대개 그렇게 하는 이유는 국방인력을 줄이면서도 같은 효과를 얻기 위해서다. 그런데 한국군은 무기를 현대화하는 동시에 군대 규모도 유지하겠다는 서로 부딪치는 두 가지 목표를 가지고 있다. 한국인이면 누구나 알고 있듯이, 한국은 점점 인구가 줄어들어 군대 규모를 유지하기가 어려운데도 말이다.

이러한 현실에서 군 복무 제도 해법은 보통 두 가지다. 의무적으로 누구나 군대에 가게 하는 대신에, 군 복무 기간을 줄이고 '사회 복무 제도*'를 강

★ 한국은 대체복무제를 폐지하고 2008년부터 단계적으로 시행해 2012년에 완전히 시행할 예정이다. 여성, 혼혈인, 귀화자, 고아 등 그동안 병역의무에서 배제되었던 사람들도 본인 의사에 따라 복무할 수 있게 되어 있다.

화하는 것이다. 독일이 대표적이다. 두 번째는 아예 군대를 직업군인제로 바꾸는 것인데, 미국과 프랑스가 이렇게 하고 있다. 두 가지 다 장단점이 있는데, 두 번째 경우는 20대들의 절대적인 지지를 받을 것이다. 그러나 군대를 직업군인들로만 채우면, 전쟁과 파병이 늘어나는 '어두운' 효과도 발생한다. 미국이 그렇게 자주 전쟁할 수 있었던 것은 어차피 일반 시민과 전쟁

은 별 관계가 없기 때문이다. 이런 이유로 일부 반전주의자들은 직업군인제를 의무병제로 다시 바꾸자고 주장하기도 한다. 프랑스도 직업군인제로 바뀌면서 파병이 늘어났다.

한국에서는 종교와 평화주의 같은 사상적 이유로 '대체복무제'를 도입했다. 그런데 이명박 정부가 들어서면서 없었던 일이 되어 버렸다. 직업군인제로 갈 것인지, 군 복무 기간을 줄이고 사회적 서비스에 해당하는 사회 복무를 늘리는 형태로 갈 것인지 언젠가는 둘 중 하나를 선택해야 한다. 그런데 군 복무 제도는 워낙 민감한 문제여서 아직 논의의 테이블에 올라오지 않고 있다. 나는 군 복무 기간을 줄이고 사회적 서비스에 해당하는 사회 복무를 늘리는 형태가 더 현실적이라고 생각한다.

군 복무 제도 얘기가 나오면 젠더 문제가 종종 뒤따라온다. 이 때문에 여성의 군 복무 문제가 뜨거운 사회적 논의거리로 떠오르기도 한다. 대표적으로 이스라엘은 남녀 모두 군 복무를 하고 있는데, 이스라엘에서도 가끔 여성과 군사주의라는 문제가 충돌한다. 길게 보면, 여성과 남성이 모두 경제 활동을 한다는 점에서 같은 의무를 지는 것이 좋을 수는 있는데, 문제는 과연 한국처럼 군사 문화가 강한 나라에서 여성들이 '사회적 서비스'로 군 복무 하는 것을 사회적 합의로 이끌어 낼 수 있느냐 하는 점이다. 여성단체 안에서는 군가산점 파동과 여성의 실업 증가로 사회적 서비스 혹은 돌봄노동 등을 통해 여성이 체계적으로 경제 세계에 진입하는 가능성에 대해 여러 가지로 고민을 하고 있다.

군대 갔다 온 남자들에게 가산점을 주는 문제는 여성과 남성 간에 감정적인 싸움만 남기고 대안을 찾기 위한 논의로까지 전환되지는 못했다. 이 책을 준비하는 과정에서 20대 여성 노동을 사회적으로 어떻게 활용할지에 관한 몇 가지 기본적인 논의는 있었다. 하지만 이 얘기를 전면에 내세우기는 아직 이르다고 생각했다. 한국 사회에서는 여전히 남성주의가 너무 강하기 때문이다.

사회 복무 제도와 사회 영역에서 여성 노동을 활용하는 방법 그리고 이를 위한 지원 방식 등 20대와 젠더라는 주제에 대해서는 아직 기본적인 논의를 넘어서지 못한 상태다. 언젠가 젠더 경제학gender economics이라는 틀에서 한번쯤 진지하게 20대 여성과 경제적 소외, 대안경제 같은 것을 논의할 기회가 오면 좋을 것 같다.

'지역경제와 20대'라는 주제 역시 젠더 문제만큼이나 깊이 살펴볼 필요가 있다. 지자체가 할 수 있는 일들과, 토건 방식이 아닌 지역경제 속에서 20대가 할 수 있는 역할과 고용 문제에 대해서 지역별 접근이 필요할 것 같다. 제주도 지역경제에 관한 연구 자료가 필요해서 제주도에 자주 간다. 그때마다 제주 지역의 20대들이 나에게 하는 말은, 제주도는 정규직들도 88만원을 받기 어렵다는 것이다. 더욱 충격적인 얘기는 20~30대의 3분의 2가량이 저신용자, 즉 은행 거래는 하지만 대출을 받기는 어려운 상황이라고 했다. 지역마다 처해진 상황과 경제 특성이 다르므로, 20대와 지역경제의 관계는 분명히 구체적으로 살펴볼 만한 연구 주제다. 지자체 입장이 중앙정부와 다를 수 있으므로, 지역 20대 문제를 고민하는 비중도 전혀 다를 수 있다. 따라서 나는 지역마다 다른 경제사회적 조건들 속에서 20대 문제를 더 많이 고민할 수 있기를 기대한다.

친구, 안녕?

최근 20대를 '3무 세대'라고 표현한다. 버전마다 약간씩 다르지만, 기본적으로는 돈이 없고, 집이 없고, 결혼을 하지 못한다는 것이 그 내용이다. 물론 이걸 다 가지고 있는 20대도 있다. 아버지가 이건희, 이명박쯤 되거나 최소한 이 시대의 '강부자' 정도는 되어야 이런 시대 흐름과 무관하게 2009년의 '모던 보이'로 살 수 있다. 하지만 대부분 20대는 그냥 3무 세대로 살아갈 수밖에 없다. 이게 신자유주의 지배 10년에 이명박 집권 1년 반을 더한, 있는 그대로의 한국 모습이다.

　최근의 네트워크 이론을 활용하는 사회학 일부에서 얘기하는 '관계망'이 가지고 있는 부정적 실태를 그대로 볼 수 있는 곳이 지금의 한국이 아닐까? 어떤 사람은 좋은 관계망 하나를 가졌다는 이유로 살면서 벌어지는 문제의 90퍼센트 이상을 아주 간단하게 해결할 수 있지만, 나머지는 대부분 좋은 친구가 아주 많은데도 전혀 자신의 문제를 해결하기 어려운 경우도 많다. 신자유주의가 만들어 놓은 개인의 관계가 그렇다. 20대를 비롯해 심지어 50대까지도 신자유주의의 허상을 이젠 알아차렸다. 그리하여 이들은 이명박 시대의 한가운데를 통과하고 있는 지금 이 배의 방향을 틀기 위해

고독하게 항해하고 있다. 가르시아 마르케스의 소설 제목 《100년 동안의 고독》처럼, 정말 이러한 시기가 앞으로 100년 동안이나 이어질까 싶어 섬 뜩해진다.

'고독'이라는 말만큼 지금 우리가 살고 있는 시대를 잘 설명해 주는 건 없을 듯하다. 고독, 언제나 청춘은 고독하지만, 지금 한국의 20대는 더 고독하다. 고독 하면 자연스럽게 '방살이'라는 말이 떠올라 더 슬프다. 이 '방'이라는 말이 결국은 자기 안의 감옥이라는 사실에 애잔해진다. 태평양을 가슴에 품고, 우주가 마음속으로 들어온다고 해도 모자랄 청춘인데 말이다. 한국의 청년은 지금 방에 갇혀 있다.

신자유주의라는 경제 시스템이 사회 장치로 만들어 놓은 것이 '각개격파' 원칙이다. 분리 통치라는 1세기 전 일제 시대에 만든 이 통치 방식이 신자유주의 시대에 다시 나타나 그야말로 사회 구석구석을 내부 식민지처럼 만들어 버렸다. 또 이 식민지들을 분할시키면서 각개격파하는 방식의 정치 시스템도 어느덧 자리를 잡았다. 이로 인해 사상의 통합은 불가능해졌으며 사람들은 조각조각 나뉜, 자신이 사는 지역 혹은 모임들을 '공동체'로 여기며 살아가게 되었다. 이런 현실에서 정부에선 전체적으로 복지만 늘려 나가려던 것이 불과 10년 전까지만 해도 한국이 나아가려던 방향이었다. 예를 들어 노태우 대통령이, 사회주의 방식이라고 난리를 친 '토지공개념'을 도입하고, 김영삼 대통령이 토지 덕에 얻은 불로소득을 거두어들여서 공적인 방식으로 사용하는 장치들을 세분화한 것도 이런 맥락에서 시행된 복지 정책이었다. 이런 조치들은 경제적 약자들이 더는 소외되지 않도록 해, 자본주의 사회가 '안전하게' 굴러가게 하려는 자연스러운 진화 결과다. 그러나 이러한 흐름마저 역풍을 맞아 결국 땅부자들의 시대가 열렸으니, 그게 바로 지금 우리가 보는 이명박 시대다.

기어이 변화는 온다

변화는 올 것인가. 나는 그렇다고 생각한다. 지금 20대가 움직일 것인가. 나는 또한 그렇다고 생각한다. 《88만원 세대》를 준비하면서 자료를 모으고, 조사하고, 사람들을 만나서 인터뷰하던 때는 한미 FTA가 한창 협상 중이던 2006년이었다.

《88만원 세대》에서 다룬 내용이 필요하다고 생각한 시기는 2004~2005년이었다. 그 시기와 지금 20대는 사실 겉으로 보면 엄청나게 다르다. 그러나 비정규직 일자리가 늘어나는 것에 대해 무기력하게 대응하고 스스로를 대변하지도 못하는 모습은 그때나 지금이나 변한 것이 별로 없어 보인다. 대학 학생회가 운동권인가 아닌가 하는 시시콜콜한 문제에 묶여 어떻게 움직여야 할지 갈피를 잡지 못하는 것도 여전하고, 20대를 그리고 한국 사람들을 가르는 분할 통치로 인한 지독할 정도의 정치적 냉소주의도 변한 것이 없다.

그러나 변화를 갈망하는 에너지만큼은 분명히 지난 3년 사이에 엄청나게 커졌고, 행동의 전제 조건으로서 '인식' 수준 또한 확실히 달라졌다. 무엇을 어떻게 해결해야 할지는 몰라도, "이건 아니다!"라는 인식만큼은 폭넓게 공유되고 있다. "알면 뭐 하냐, 꼼짝도 안 할 텐데…."라며 여전히 많은 이가 20대를 집중적으로 신랄하게 비판하고 있기는 하지만, 뭔가 문제 있다고 생각하는 것과 그런 생각조차 없는 것은 분명 다르다. 더욱이 지금은 이명박 시대고, 그는 보통 정치인 캐릭터는 아니다. 그는 마치 그의 시대를 끝장내기 위해 뭔가 하지 않으면 대단히 잘못한 것이라는 죄책감마저 불러일으키는, 그런 파토스가 절로 생겨나게 하는 아주 독특한 캐릭터다. 지금 한국의 20대 특히 대학생들은 아직 출구나 돌파구를 찾지는 못했지만, 출구나 돌파구를 뚫으려는 에너지만큼은 지구를 삼켜 버리고도 남을 정도로 가슴 속에 들끓고 있다. 이 에너지가 어디로 갈지 나도 잘 모른다. 그러나 그것이 혁명 그 자체이든, 혁명에 버금가는 변화를 이끌어 내든, 지금으로서는 누구도 상상하지 못했던 방향으로 돌출될 것이라고 생각한다.

다음 선거에서 이명박 정권을 이어 한나라당이 다시 집권하지 못하게 될 가장 큰 이유는 지금의 20대 그리고 바로 대학생들 때문일 것이다. 어차피 한국에서 지역과 세대 외에 특별하게 정치적 입장을 더 변하게 할 요소는 없어 보인다. 고담대구*는 아마도 당분간은 극우파들의 도시로, 한국에서

★ '고담'은 1939년 처음 발간된 만화 '배트맨'에 나오는 가상 도시로, 범죄가 들끓는 어둠의 도시였다. 대구에서 각종 사건, 사고가 잦아 네티즌들이 대구 앞에 붙여 쓰면서 굳어진 표현.

'아스팔트 우파들'의 성지가 될 것이다. 광주 역시 지금 구도에서 큰 변화는 없으리라. 전주는 계속 토건 전주로, 전남은 지금 짓고 있는 골프장에 목을 매면서 한동안 골프장 전남이 될 것이다. 〈조선일보〉는 변함없이 "니들 다 빨갱이야!"라고 외칠 테고, 〈한겨레신문〉이나 〈경향신문〉은 여전히 경영난에 시달리며 돌파구를 찾느라 진땀을 흘릴 것이다. 정권은 여전히 강부자 손에 있을 테고, 약간 성장률이 변하고, 비정규직이 더 느는 것 외에 다음 대선에서 크게 바뀔 것이 있을까? 다만 이 상황에서 20대의 투표 성향은 상당히 바뀌어 있을 것이다. 이 정도가 내가 해 볼 수 있는 최대한의 낙관이다.

그러나 정권이 바뀐다고 해서 지금의 신자유주의가 급작스럽게 탈신자유주의로 바뀔까? 쉽지 않다. 지금 20대들의 경제 문제와 사회적 권리 문제가 전면적으로 해결되고, 그들에게 새로운 권리를 주고 아울러 그들을 더는 3무 세대라고 부르지 않아도 될 상황이 올까? 어렵다고 본다. 여전히 20대들은 자신의 문제를 구조적인 차원에서 의논할 문제로 내세우는 일에 미숙하고, 68년의 젊은이들만큼 폭발적으로 전혀 새로운 프레임에서 문제를

던지기 쉽지 않을 것이기 때문이다. 상상하지 않은 자가 상상도 못해 본 것을 발상할 수 있을까?

'방'살이들을 '세상'살이로

그러나 한 가지는 확실해 보인다. 지금의 '방살이'들이 방에서 나와 친구들을 만나기 시작하고, 거기서 다시 사회 혹은 동료들 속으로 돌아오는 일이 벌어지면 그게 바로 탈신자유주의 시대 공동체를 복원하는 첫 출발이 되리라는 점이다. 즉, 혼자 고독하고 외로운 것이 아니라는 사실을 서로 공유하는 것이 어쩌면 대한민국 경제가 다음 단계로 진화하는 출발점이 되지 않을까 싶다. 자폐증 환자 같은 20대 방살이들을 과연 누가 도와줄 것인가. 그건 같은 20대가 해야 할 일 아닐까? 3년 전이라면 불가능한 상상이었겠지만, 지금은 그렇지 않다. 아직은 충분한 자금과 조직을 갖추지 못한 실험이나 시도 단계지만, 20대들의 조그만 움직임과 실험들이 지금 곳곳에서 벌어지고 있기는 하다. 안 보이고, 실감이 안 날지도 모르지만 "친구, 안녕?"을 외치면서 방살이들의 방 안으로 들어가서 그들의 손을 잡고 밖으로 나오자고 말을 건네는 이들이 점점 늘고 있는 것은 사실이다.

방살이 20대 여러분, 어느 날 문을 노크하면서 "친구, 안녕?"을 외치는 이가 있다면, 그에게 차라도 한잔 대접하거나 식어 버린 편의점표 삼각김밥이라도 내밀어 보면 어떨까. 또 당신도, "나 혼자 살 거야."라는 말도 안 되는 말로 위안을 삼으며 관계의 결핍으로 몸부림치는 친구의 방문을 노크하면서 "친구, 안녕?"을 외칠 준비가 되어 있는가? 혼자가 아니라 같이 밥 먹기 위한 노력, 이게 탈신자유주의 시대를 맞이하는 20대의 첫 출발이 되어야 하지 않을까? 혁명은 이렇게 조용히 번져 가고 있다.

지금 20대에게 당장 필요한 것은 리더와 진, 권력이나 교섭력이 아니라 방살이에 갇힌 친구들과 같이 밥을 먹을 수 있는 최소한의 공간이고, 그러한 사회적 관계의 복원이다. "혼자라야 마음 편하다."는 친구들을 불러낼 수 있는 우정과 그 친구들을 환대할 수 있는 밥상 공동체가 아닐까 싶다. 그런 다음에야 3무 세대란 말을 없앨 수 있고, '88만원 세대'를 한때의 일로 기억하게 될 것이다.

우리는 모두 살아 있어
살아 있으니까 슬픈 거야
손바닥을 햇빛에 비추어 보면
빠알갛게 흐르는 나의 핏줄기

우리는 모두 살아 있어
살아 있으니까 웃는 거야
우리는 모두 살아 있어
살아 있으니까 기쁜 거야
손바닥을 햇빛에 비추어 보면
빠알갛게 흐르는 나의 핏줄기
잠자리들도, 개구리들도, 꿀벌들도
모두 모두 살아 있어
우린 모두 모두 친구야

− 공각기동대 2기에서 〈다치코마의 노래〉

에필로그

이 책을 준비하기 시작하면서 장정일의 《삼국지》를 읽기 시작했다. 《삼국지》를 처음 읽은 건 초등학교 5학년 때였다. 솔직히 말해서 지금까지 기억나는 대목은 여포 토벌에 나섰던 하후돈이 눈에 화살을 맞자 화살촉에 낀 눈알을 "부모님이 물려주신 신체"라며 질겅질겅 씹어 먹던 장면이었다. 사실 초등학교 5학년이 뭘 알았겠는가.

6학년 때는 책을 꽤 많이 읽었다. 남들처럼 헤르만 헤세의 《데미안》을 읽고, 《수레바퀴 밑에서》도 읽었다. 특히 《수레바퀴 밑에서》는 첫사랑의 애틋함 대신 사과로 만든 술이 상당히 맛있으리라는 아쉬움을 남겼다. 이 아쉬움은 소설 《개선문》에 자주 등장하는, 주인공이 개선문을 보면서 마셨다는 칼바도스에 대한 갈망으로 이어졌다. 보통 와인잔보다 훨씬 넓은 잔에 따라서 손의 체온으로 덥혀 마신다는 칼바도스. 나중에 프랑스로 유학 가서 마셔 본 칼바도스는 싸구려 술이었고, 마신 다음 날엔 머리가 무척 아팠다. 그래도 종종 마셨다. 그러면서 '아니 이게 《수레바퀴 밑에서》에서 그렇게 맛있다던 사과술이었어?' 중얼거리곤 했다.

나의 '혁명'

'혁명'이란 말과 얽힌 일들이 특히 나에게는 잘 잊히지 않는다. 대학 다니던 시절에는 누구나 그랬듯이, 러시아와 중국 혁명에 관한 뒷얘기를 열심히 읽었다. 솔직히, 혁명 그 자체보다는 시베리아로 유배당한 레닌을 훗날 아내가 되는 쿠르프스카야가 구해 낸 얘기나, 중국 혁명의 주인공 주덕의 순박한 삶에 대해 더 열중했던 것이 사실이다. 80년대를 풍미했던 혁명의 담론들, 어쩌면 나는 그 속에서 뒤늦게 연애 얘기나 영웅들의 자잘한 소일담 같은 것들에 더 재미를 느꼈는지도 모른다. 영화 〈전함 포템킨〉을 봤던 순간도 강렬하게 남아 있다. 대학 시절에 그 영화를 볼 수 있었던 것은 행운이었다. 이젠 민중이라는 말과 너무도 멀어져 버렸지만, 이재오가 한때 홍제동에서 운영하던 서울민중연합 사무실에 숨어서 이 영화를 봤다. 그때 느꼈던 미학적 쾌감은 지금도 내 몸 어딘가에 살아 있다. 파리에서 북한영화제가 열렸을 때 북한 영화들도 몇 편 봤는데, 〈불가사리〉 같은 영화들은 그렇게 흥미롭지는 않았다. 다만 〈불가사리〉에 나오는, 북한 최고의 미남 배우라는 사람이 최재성과 많이 닮았다는 것 정도?

하여간 고등학교와 대학교 때 나는 감추어진 것들을 찾아냈을 때처럼, 혁명이라는 단어가 주는 매력에 푹 빠져 있었다. 아주 힘겹던 90년대에는 그래도 내가 한때는 혁명을 고민하던 사람이었다는, 별 근거도 없는 자부심으로 버텨 냈다. 그런데 지금 나는 이 책을 통해 '혁명'이라는 말을 다시 불러내려 한다. 지금 20대들에게 이 단어를 환기시켜 주고 싶었다. 비록 그 생각이 낭만적이든, 영웅들의 뒤안길을 보여 주는 것 같든, 《자본론》이 설정했던 당연한 역사의 흐름을 보여 주려 했든 말이다. 혁명 운운한다는 건 나로서는 상당히 위험한 도전인데, 지금 시대엔 누구도 이 말을 쓰지 않기 때문이다. 혁명이라는 단어를 전혀 생각해 보지 않았던 사람들에게 이 말은 아주 '생뚱맞을' 것이다.

재, 도대체 뭐라는 거야?

혁명을 생각하고 꿈꿔 본 사람으로서 혁명이 얼마나 정신을 풍요롭게 하는지 지금 20대들에게 꼭 말해 주고 싶다. 더 바라는 것이 있다면, 찰리 채플린의 〈모던 타임즈〉 같은 작품을 한번 만들어 보라고 권하고 싶다. 이 영화는 흑백 무성영화지만, 총천연색 디즈니 만화영화에 익숙한 초등학생들에게도 여전히 권장할 만한 가치가 있다. 내가 생각하는 혁명은 채플린처럼 살아가고, 그처럼 영원히 남을 수 있는 무엇인가를 만드는 일이다.

그 '소박한' 꿈조차…

이런 마음으로 《88만원 세대》 후속 편을 본격적으로 쓰기 시작했다. 책을 쓸 때 오히려 책도, 영화도 더 많이 보는 편이다. 이번에도 어김없이 그랬는데, 이번엔 특히 장정일의 《삼국지》와 함께 시작하고 마쳤다. 최근에 같이 작업도 했던 《어린왕자의 귀환》의 작가 김태권이 이 책에 삽화를 그려 넣었는데, 그가 몇 년 전에 그린 그림들을 감상하는 것 역시 쏠쏠한 재미였다. 장정일의 책은 상업적으로 크게 성공하진 않았지만, 나에겐 작가의 숨결이 느껴지는 책이라 이 책을 쓰는 내내 두 번이나 읽었다. 독자로서 나는 무척 행복했다.

주변 사람들이 종종 《삼국지》에서 누가 가장 마음에 드느냐고 묻는다. 글쎄, 어려운 질문이다. 솔직히 이번에는 강유에게 가장 마음이 갔다. 문관 출신인 제갈량과 달리 강유는 무관 출신이다. 조조 진영에서 유비 쪽으로 넘어온 사람이다. 기막힌 작전으로 입이 딱 벌어지게 하는 제갈량과 달리, 강유는 늘 전투에서 지지부진했다. 그리고 결정적으로 유비의 나라인 촉을 지켜내지 못했다. 그가 총사로 있는 동안 결국 나라가 망했으니 말이다. 이런 이유로 《삼국지》에서 강유는 그다지 매력적인 사람으로 드러나지 않는다.

그러나 강유가 제갈량에게서 지휘권을 넘겨받았을 때 촉은 유비, 관우, 장비로 상징되는 촉의 삼형제는 물론이고 관우, 장비와 함께 오호 장군이었던 조자룡, 마초, 황충도 모두 죽은 이후였다. 그리고 황제는 유비의 나약한 장남 유선이었다. 그 상황에서 강유는 땅도 넓고 농사도 잘되고 인재도 많은 위에 맞서서 10년 넘게 촉을 지켜 낸다. 촉은 원래 중원에 속하지도 않는 이방인의 땅이며, 산악 지대였다. 관우가 죽고, 유비가 죽고, 제갈량이 죽은 이후 더는 지키기 어려운 땅을 조조 측에서 넘어온 강유가 10년 넘게 지켜 온 셈이다.

이런 강유의 삶에 신자유주의가 세상을 집어삼킨 순간 80년대에 꿈꾸었던 혁명이 꿈으로 끝났음을 알면서도 '명분' 하나로 버텨 온 내 모습이 자꾸 오버랩된다. 어쩌면 나는 제갈량이나 조자룡이 아니라 강유와 같은 사람을 기다리고 있는지 모르겠다. 아주 어려운 상황에서도 먼저 북벌을 시도해 위나라 쪽을 지킬 수 있는 전선을 상상해 내는 사람을 말이다.

계급, 가치론, 변증법, 유물론. 80년대 우리를 지배했던 이 말들 중에서 내가 지금도 쓰는 건 거의 없다. 90년대로 넘어오면서 나의 경제학은 하이에크와 그의 제자 밀턴 프리드먼의 것과 다르고, 그렇다고 케인스의 경제학과도 다른 무엇인가를 지향하게 되었다. 나는 더는 계급으로도, 가치론으로도 분석하지 않는다. 그런 걸로 세상이 잘 설명되지 않기 때문이다. 그래서 계급 대신 '세대' '젠더' '공간'이라는 말을 쓰고, 가치 대신에 '화폐'라는 말을 쓴다. 말로만 그렇게 하지 않고 실제 분석도 그렇게 한다. 전환 대신에 '진화'라는 틀을 쓰고, 투쟁 대신에 '게임 이론'을 끌어들인다.

그러나 그 시기 말 중 후배들에게 꼭 넘겨주고 싶은 것이 있는데, 바로 '혁명'이다. 혁명이란 말을 어떻게 이해하든 상관없다. 그러나 그 말이 주는 역동적 힘만큼은 한 번쯤 가슴에 두고 곰곰이 생각해 보면 좋겠다. 이 말을 들으면 왠지 가슴이 뜨거워지지 않는가? 나는 한국의 20대에게 혁명이라는 말에 숨겨진 기이한 매력과 폭발적 힘을 전달해 주고 싶다. 또한 그들 안에 이미 혁명의 기운이 조용히 번져 가고 있음을 다른 이들에게 말해 주고 싶다.

강유가 했던 실패를 40대 내 또래들이 다시 반복하면 안 된다. 그 까닭은, 제갈량이 넘겨준 그 혁명의 파토스만큼은 20대, 10대로 이어지게 해야 한다고 생각하기 때문이다. 탈신자유주의라는 새로운 꿈을 꾸어야 하는 지금 시기에 경제학의 용어들이 아니라 어떤 뜨거움이 그들에게 전달되어야 할 것 같다. 내가 한국 20대들과 만들고 싶은 세계는 소설책도, 영화도 많이 볼 수 있고, 마음껏 꿈꾸며, 그것을 실현해 먹고살 수 있는 곳, 누구도 누구 위에 올라서거나 누구를 불행하게 하지 않으면서 자연과 어우러져 소박하게 살 수 있는 곳이다. 최소한 20대들이 창문이라도 달린 방에서 살고, 지하나 반지하방에서 지상으로 올라와 살게 해 주고 싶다. 그리고 전 세대들처럼 인상 구기면서 살지 않고, 명랑하게 웃으면서 늘 재밌는 일들만 하면서 살아가게 해 주고 싶다. 배고프지 않고, 외롭지 않고, 잔인하지 않고, 그러면서도 사람들과 충분히 마음을 나누며 사는 삶. 이 정도의 소박한 꿈도 혁명 없이 가능하지 않단 말인가? 그렇다. 우리는 지금 명박 시대를 살고 있다.

그들은 관찰한 것일까,
관찰된 것일까
대학생들의 20대 관찰기

대학생이, 대학생 혹은 20대를 대상으로 만든 '문화기술지'나 '관찰기'는 매우 독특한 특징을 가지고 있다. 스스로 관찰자인 동시에 대상자고, 조언자인 동시에 운동가가 되기 때문이다. 이런 상황에서 선생으로서 나는 관찰 대상과 관찰자를 동시에 관찰하면서 그 사이에서 벌어지는 일들을 다시 관찰하고, 때때로 학생들의 연구나 그들이 관찰하는 20대 운동 자체에 대해서 개입하는 역할을 맡았다. 이 일을 진행하면서 가장 즐겁고 흥미로웠던 건 학생들이 새로운 관계와 조직들을 만들어 내는 과정을 바로 옆에서 지켜볼 때였다.

이 관찰기 결과가, 지금 대학생들의 특징인지, 연세대의 특징인지 아니면 연세대 인문사회계열 극히 일부 학생들에게서만 나타나는 특징인지는 잘 모르겠다. 하지만 10년, 20년 전에 대학을 다녔던 사람들은 결코 이해할 수 없는 일 하나가 이 수업 공동체 안에서 벌어졌다. 오빠, 형, 동생 따위의 호칭을 전혀 쓰지 않더라는 것이다. 선배, 후배라는 호칭도 없었고 말이다. '우정과 환대의 공간'을 열어 보자는 취지에서 위아래 없이 서로 친구라고 부르라고 권장했기 때문이기도 하지만, 스물한 살인 여대생이 스물아홉이나 먹은 복학생에게 "야, 너 하는 짓이 너무 추해!"라고 말하는 좀처럼 보기 드문 광경도 볼 수 있었다. 대학이 학부 중심으로 흘러가면서 자연스럽게 선후배 따위 호칭을 쓰지 않게 되었지만, 그래도 '오빠'라고 아무 거리낌없이 부르는 곳이 더 많았을 것이다.

수업에 참여한 이들이 정말로 서로 우정을 나누었는지는 모르겠지만, 어쨌든 선후배라는 호칭과 위계를 치우고 나니까 그 안에서 서로를 친구로 여겨 친구의 범위가 넓어지는 듯했다. 방학 동안에 스터디할 때 성공회대와 한국예술종합학교 학생 일부도 이 '우정과 환대의 공간'에 새롭게 참여했는데, 이들도 곧 모두 친구가 되었다.

이렇게 모인 학생들이 20대 삶을 연구하기 위해 팀을 꾸렸고, 몇 가지 주제를 잡아 연구한 최종 결과가 이 장에 몇 편 실려 있다. 선생인 내 눈으로 재해석된 결과보다는 때때로 원래 자료 자체가 더 많은 상상력을 이끌어 낼 수 있으리라.

20대 학원강사로 살아남기

청년인턴제, 일자리 나누기, 신입사원 연봉 삭감 등 정부와 기업은 청년 실업을 해소하기 위해 여러 정책을 시행하고 있다. 이러한 노력에도 불구하고 상황은 별로 나아지지 않고 사상 최고의 스펙을 자랑하는 현재의 대학생들은 "88만원 세대"가 곧 자신의 이야기임을 실감하고 있다. SKY 대학을 나와도 말이 좋아 인턴이지 기약 없는 비정규직으로 채용되는 마당이다. 그렇게 위안을 삼고 있는데 우연히 《스타강사로 10억 벌기》라는 솔깃한 제목의 책을 보았다. 대기업에 들어가 정년 채우고 나오기가 하늘의 별 따기인 상황에서 10억 원을 벌 수 있는 스타강사라는 직업. 사교육을 필수로 거쳐 갔던 지금의 대학생들은 스타강사가 아니더라도 피자, 치킨을 학생들에게 쏘며 기분을 내고 외제차를 끌고 다니던 학원선생님을 적어도 한 명씩은 본 경험이 있을 것이다. 학원강사들이 비교적 고수익을 얻긴 하지만 학원강사에 대한 사회적 인식이 수입과 꼭 비례하는 것 같지는 않다.

여러분 솔직히 대학 입학 때부터 학원강사 하려고 생각하지는 않잖아요. 저는 인문대 출신이라는 한계로 취업하기 어려웠고, 취업이 되지 않자 집안 생계가 막막해졌거든요. 그래서 유학을 가기 위해서 잠시 학원강사 일을 시작했어요.

　　　　　　　　　　　　　　　　　　　　　　　　－ Y학원 이사

저도 처음에 여기 온 여러분처럼 복잡한 심정이었어요. 설문에 따르면 학원강사가 되고 싶다는 희망을 가진 시기는 대학 입학할 때가 4퍼센트, 재학 중이 32퍼센트, 졸업할 때쯤이 13퍼센트, 졸업 후 직장을 구할 때가 51퍼센트였습니다.

　　　　　　　　　　　　　　　　　　　　　　　　－ G학원 인사담당자

어떻게 보면 '최후의 보루'예요. 그렇게 생각하는 사람이 많죠. 취업 안 되고 취직 안 돼서 오는 경우가 많아요. 그냥 해 볼까 하다가 눌러앉은 사람들이 굉장히 많죠. 요즘에는 처음부터 마음먹고 하기도 해요. 인터넷에서 유명강사들도 뜨고 그러니깐. 하지만 그렇게 많지는 않아요. 대부분 다른 가능성을 열어 두었다가 그게 뜻대로 안 돼서 결국에는 학원강사를 하게 되는 거더라고요. 다른 일 하다가 취업이 안 되니깐 하는 경우들이죠.　　　　　　　　　　– 강사 A

학원강사로 살아남기 위한 몇 가지

진심으로 아이들이 좋고 가르치는 일에 보람을 느껴 학원강사가 된 분들에게는 미안한 이야기일 수 있겠다. 학원강사로 일하는 건 '최후의 보루'라는 식의 사회적 인식에도 불구하고 대기업 신입사원 이상의 연봉 유혹에 잠깐이든 장기적이든 학원강사가 되기로 생각한 20대라면, 학원강사로 생존하기 위한 몇 가지 팁을 참고하기 바란다.

시범 강의를 위해 주어진 10분, 쇼를 하라!

대부분 학원과 계약하기 전에 원장 앞에서 시범 강의를 하게 된다. 이때 주어지는 시간은 대략 10분. 사실 10분 동안 얼마나 많은 것을 알고 있고, 얼마나 잘 가르치느냐를 알리기는 힘들다. 따라서 시범 강의는 아이들을 장악할 수 있는 능력을 보이기 위한 것이므로, 한번에 눈길을 사로잡을 수 있는 무언가가 필요하다. 10분의 시범 강의를 위한 스터디 모임도 있다니 인터넷 카페를 잘 검색해 보시길! 시범 강의의 또 다른 목적은 몸값을 책정하기 위함이다. 학원 쪽에서 희망 액수를 묻는다면 쭈뼛쭈뼛하기보다 당당하게 희망하는 정도를 제시하는 것이 더 좋다. 어렵게 생각하지 말고 용산 전자상가에서 물건을 살 때와 비슷하다고 생각하면 된다. 강사의 경우 판매자 입장이므로, 최대한 높게 부르고 최소한으로 깎는 것이 팁이다. 이를 위해서는 원장이 아쉬워할 만한 시범 강의가 전제되어야 함은 물론이다.

계약서를 꼼꼼히 확인하라

원장이 만족할 만한 시범 강의를 보여 주고 연봉 협상도 어느 정도 진행되었다면, 이제는 계약서를 작성할 차례다. 잠깐! 노예계약은 연예인들이나 하는 줄 알았다고? 실제 학원가에서 존재하는 노예계약 조항들을 보고 놀라지 마시길.

여러 종류의 노예계약서가 있는데, '필요할 경우 수업시간이 늘어날 수 있다.'는 조항이 있고, 이 조항에 따라 수업시간을 팍팍 늘리기도 해요. '이 학원을 그만뒀을 때, 반경 몇 킬로미터 학원에는 옮기지 않는다.' 같은 것도 있어요. 애들이 옮겨 갈까 봐. 얼마 동안 근무하는 걸 의무로 하는 곳도 있구요. 무단으로 돈 받고 잠적하면 100만 원 배상을 해요. 의무 약정계약을 하고, 얼마의 배상을 하는 거죠. 그래서 계약서를 꼼꼼히 읽어 봐야 한다는 게 학원 바닥의 룰이에요. 몇 가지 예를 더 들면, 3일에 근무를 시작하면 월급날이 보통 3일이 되어야 하잖아요. 그런데 10일에 줘요. 일주일치를 묻어 놓는 거죠. 왜 그렇냐면, 강사가 한 달치 월급만 받고 그만둘 경우를 대비해서 일주일치를 잡아 놓는 거예요. 다방 레지도 아니고. 월급을 적립하는 곳도 있어요. 퇴직금 명목으로. 그러니까, 월급에서 몇 퍼센트를 뗀다. 정상적으로 그만둬야 이걸 주고,

그렇지 않으면 안 주는 식이죠. 일종의 착취라고 할 수 있는 거예요. 그래서 학원 관련해서만 전문으로 일하는 노무사 분들도 계세요. – 강사 B

대학 입학 직후 ㅁ스터디에서 조교를 하다 이후 직접 학원계에 뛰어들어서 강사로 일하고 있는 스물두 살의 남성, 강사 B의 말이다.

학원가의 제1법칙_ 돈을 많이 받을수록 일이 고되다

계약서를 꼼꼼히 읽어 얼토당토않은 노예계약 조항들을 삭제했다고 당신은 안심하고 있을지도 모르겠다. 또 생각보다 높은 연봉에 들떠 있을지도 모른다.

고등부는 기본 월 300만 원 정도에서 급여가 시작되고, 중등부는 월 250만 원 정도에서 시작되죠. 경력자는 연봉 4800만 원도 가능합니다. 하기 나름이고, 동기에 비해 월급이 5년 안에 5배 차이가 나는 경우도 있어요.
 – G학원 인사담당자

그러나 섣부른 판단은 금물. 학원가의 제1법칙은 돈을 많이 받을수록 일이 고되다는 것이다.

소규모 학원은 대체 인력이 있는 게 아니기 때문에, 마음대로 아프기도 힘들어요. 저 대신 수업을 때워 줄 사람이 없는 상황이라 그 과목이 비니까요. 종합학원일수록 이런 상황은 더 심하죠. 수업은 진행되어야 하니깐. 학교는 많아야 4번 수업하는데, 학원에선 기본적으로 수업을 5번 정도 계속 이어서 하다 보니 힘들어요. 45분 떠들고 10분 쉬고 이게 반복이 되고. 수업이 6번인 학원도 많고. 그러다 보니 저뿐만 아니라 무리해서 건강이 안 좋아지는 사람도 많아요. ㅁ스터디에서 돌아가신 분이 있는데 순직했다고 표현하는 분도 있어요. 강의하다가 주저앉아서 돌아가셨다고 해요. 매년 ㅁ스터디에서 그분 추모를 해요. 성대 이상 오는 건 흔한 일이고. 낮밤도 바뀌어 있고. 고등부 선생님들은 수업 자체가 1, 2시에 끝나요.   - 강사 B

솔직히 학원선생님이라는 직업을 추천해 주고 싶은 마음은 없어요. 학원강사 5년이면 주위에 있던 친구도 다 떠나고 얻는 거라고는 망가진 몸밖에 없다는 말도 있어요. 우리가 드라마나 책에서 접하는 그런 직업은 절대 아니에요. 시험 기간이면 6주 넘게 하루도 못 쉬고 하루에 8시간 이상씩 수업해야 하는 경우도 생기고, 보통 귀가 시간이 새벽 단위기 때문에 어두운 밤길을 혼자 가야 하는 일도 생기죠.   - 강사 C

동네의 영세학원은 노동조건이 더 열악해서 한 달에 500만 원 벌어도 쉬는 날은 전혀 없어요. 학생들이 학교 간 오전에 잠깐 잤다가 오후 1시쯤 출근해서 새벽 4시까지 근무하기도 하죠. 심지어 강의만 하루에 13시간 한 적도 있어요. 대형 학원도 근무조건이 열악한 것은 마찬가지예요. 열심히 하는 강사들은 책 업그레이드 등에 시간을 투자하느라 하루에 3시간 정도밖에 못 자요. 프로강사일수록 몸은 더 힘들죠. 들어올 때 4시간 이상 잘 각오하지 말라는 말도 들었어요.   - 강사 D

저 같은 경우에는 일주일에 3번 나갔어요. 평일에는 6시간, 토요일에는 10시간, 일요일에는 14시간(13시간 반) 일했어요. 일요일에는 아침 9시부터 저녁 11시 반까지 일했고요.   - 강사 E

앞서 말한 강사 B. 대학 졸업 후 학원강사로 6년 정도 일한 30대 초반의 여성, 강사 C. 대학원을 다니면서 보습학원 강사를 병행하다가 현재는 고시학원 강사로 바꾼 30대 초반의 남성 강사 D. 과외 아르바이트를 그만두게 되면서 학원계에 진입한 스물두 살의 여성 강사 E. 이들이 몸소 겪은 사례들을 통해 학원계의 노동강도가 어느 정도인지 짐작했을 것이다.

삶의 질이 의문시될 땐……?

밤낮이 완전히 뒤바뀌고 강도 높은 노동에 시달리다 보면 친구들과 술 한잔하는 여유조차 사치가 될지 모른다.

학원에 있다 보니까 사람 만날 시간이 없어요. 대인 관계를 유지하기가 힘들죠. 10분이라도 놀 시간이 없고, 선생님들하고 술이나 한잔하고. 선생님들하고만 관계가 유지되는데, 그나마도 나이 드신 분들은 대개 집에 가고, 나이 비슷한 사람들끼리 놀고 그래요. 그런 게 유일한 낙이 되니까 답답하죠. 돈만이 최고는 아니니까요.   - 강사 A

살기가 힘들죠. 정말 삶이 피폐해져요. 휴일이 없으니까요. 애들 시험 때라도 되면 보충이다 뭐다 해서….   - 강사 B

학원강사라는 직업이 남들과는 다른 생활을 해야 한다는 점이 제일 힘들었어요. 다른 사람들 퇴근 무렵 수업이 시작되어 다들 잠들었을 시간에 퇴근하는 점이 너무 힘들었죠. 그러다 보니 자연히 학원강사가 아닌 친구들과는 점점 멀어지게 되었고요. 내가 겪었던 일들 중에는 분명히 보람 있는 일들도 많아요. 2, 3년 전에 가르쳤던 학생들한테서 연락이 올 때 기쁘고, 수업시간에 느꼈던 기쁨도 잊을 수 없어요. 하지만 이런 생각만 가지고 학원선생을 한다 하면… 얼마 견디지 못할 거예요.

— 강사 C

물론 마음 맞는 강사들끼리는 진짜 유대가 이루어지기도 하지만 그런 경우는 드물다고 봐요. 강사들끼리도 경쟁하니까요. 특히 같은 과목끼리는 경쟁이 더 심하죠. 저 같은 경우 다른 강사들이랑 술 마시는 것은 형식적이에요. — 강사 D

인터뷰 대상자들은 대부분 강도 높은 노동으로 물질적 보상은 받지만 이에 대한 대가로 지불해야 하는 정신적 가치와 삶의 질에 대해서는 아쉬움을 토로했다. 마지막 하이라이트를 기대했다면 미안하다. 당신이 삶의 질에 반문할 때 줄 수 있는 팁은 없다.

그동안 학원 분야는 공교육으로 들어가지 못한 사람들의 영역이라는 인식이 있었다. 하지만 최근 대학에는 학원 분야 취업 설명회 현수막이 대기업의 채용 공고 안내와 나란히 걸리게 되었다. 이는 지금이, 사교육 시장과 내부 시장 참여자들*이

★ 공교육에서 선생이라는 직업과 달리 학원강사는 큰 자본이 오가는 '시장'에 속해 있다는 의미를 주려고 시장 참여자라고 칭함.

양성화되는 '전환기'라는 사실을 말해 주는 듯하다. 무엇보다 스타강사들의 성공신화가 이러한 양성화 추세에 큰 역할을 한 것 같다. 그들은 누구보다 바쁘게 살아간

다. 별도의 연구소까지 갖추어 문제를 연구하고 분석한다. 한 인기강사는 강의를 준비하느라 1년에 단 며칠밖에 못 쉰다고 말한다. 그런 그녀를 위해 개인 코디네이터는 강의할 때 의상, 헤어스타일, 메이크업뿐만 아니라 그녀의 쇼핑까지 대신해 준다. 그들은 워커홀릭의 삶을 살면서 1년에 많게는 수십 억 원을 번다. 취업 설명회에서는 이들의 성공신화를 이야기하며 이들을 롤모델로 삼는다. 강도 높은 업무는 그들의 성공신화 앞에서 당연시되고 찬미된다.

또 취업 설명회에서 강연자는 계속해서 학원강사를 고소득 전문직 종사자의 이미지로 그려 냈다. 강사들을 위한 각종 복지 혜택도 늘어나는 추세라고 강조도 했다.

> 요샌 퇴직금 인센티브도 별도로 제공하구요, 연구·근속 휴가제도도 줘요. 각종 경조 휴가도 주고, 동호회나 문화 행사도 지원해 줍니다. 이왕이면 종합학원이나 프랜차이즈학원으로 가세요. 그런 곳에선 4대 보험도 적용되고, 출산 휴가, 전액 유급 휴가도 지원해 주거든요.　　　　　-G학원 인사담당자

그러나 고소득 전문직, 복지 혜택 등에 힘입어 양성화되고 있는 학원계의 겉과 속은 차이가 크다. 학원강사 경험이 있는 20대들이 지금까지 말한 것처럼, 학원계는 정말 만만한 곳이 아니다. 자, 이제 당신은 다시 한번 선택의 기로에 놓여 있다. '20대 백수, 벤츠 끄는 학원강사 되다'의 저자가 되어 앞서 남겨 두었던 마지막 네 번째 팁을 제시하든가 돈 좀 적게 벌어도 인간답게 살고 싶다 하시는 분들은 다른 길을 찾으시든가. 당신의 선택은?

명진은 조용하고 사려 깊다. 흔히 얘기하는 강남 출신이지만 성격은 소박하다. 강남 중산층 가정에서 강남 평균의 교육열을 가진 부모님 밑에서 자랐고 강남 평균 이상의 창조적 욕구를 가진 대학생의 내면은 어떨까. 명진과 대화하면 이 궁금증에 대한 최소한 평균치에 해당하는 샘플은 얻을 수 있다. 20대 당사자 운동의 장점과 한계를 모두 보여 주는 친구고, 적절한 계기가 생길 때 강남 대학생들이 움직일 수 있는 방법과 그들의 패턴을 연구할 수 있는 좋은 사례라고 할 수 있다. 최근 20대 당사자 운동과 관련해 패배감을 느끼면서 약간 우울해 하고 있다. 그가 자신의 길을 잘 찾아 나가길 빈다.

방살이, 혁명적인?

나는 대한민국이 여러 면에서 혁명적이라고 생각한다. 만일 '혁명'이라는 단어가 단지 다수의 사람들에게 이익이 되는 방향으로의 변화만을 뜻하지 않고 때로는 엄청난 규모의 손해를 입힐 수도 있는 그런 일을 뜻하기도 한다면, 확실히 대한민국은 여러모로 혁명적인 면모를 많이 드러내고 있다. 이 글에서 다루고자 하는 '주거'의 문제 즉, 경제적 약자나 갓 독립한 사회 초년생들에게 처음 주어진 선택이 '방살이' 외에는 달리 없는 상황 또한 그러한 의미에서는 꽤나 혁명적이라고 할 수 있다.

"혁명한국의 상징이 되길 바란다." 1961년 5·16 쿠데타를 일으켜 갓 정권을 잡은 박정희 전 대통령이 마포아파트 준공식 테이프를 끊으면서 한 말이다. 이후 약 반세기 동안 아파트는 그가 말한 대로(물론 그의 바람대로 근대적이고 선진적인 것의 상징은 아니지만) 정말 '혁명' 한국의 상징이 되었고, 전국의 땅값과 집값은 그야말로 '혁명'이라는 단어 외에는 달리 설명할 길이 없을 만큼 뛰어올랐다. 이를테면 2006년 도시 근로자 평균소득을 기준으로 33평 아파트 한 채를 장만하기 위해 걸리는 시간은 전국 평균 18.6년, 서울은 29.1년, 강남의 경우는 무려 44년이 걸린다는 것.* 만약 당신이 군대까지 다녀오고 27세에 졸업을 해서 28세에 드디어 취직

★ 이 수치는 2006년 국정감사에서 이낙연 민주당 의원의 요청으로 제출된 주택공사의 자료에 근거한 것이다. 해당 자료에서 사용된 도시 근로자 평균소득은 월 171만 2,000원인데(통계청 발표 2006년 3/4분기 가계수지동향 참조), 내 집 마련에 전국 평균 18.6년이 걸린다는 계산 결과는 소득 중 대략 100만 원을 매달 저축한다고 가정한 경우다.

을 한 남성이라고 가정해 보면, 당신은 47세나 되어야 33평 아파트 한 채를 마련할 수 있다는 이야기다. 물론 서울에서는 57세, 특히나 강남에서는 72세나 되어야 집 한 채를 마련할 수 있다.* 가장 최근의 통계로 이야기해 보면 10년 만에 집을 장만

★ 이것은 연소득 가운데 지출을 제외한 저축 가능액을 정기예금 금리(2003년 2월 4.15퍼센트, 2006년 9월 4.13퍼센트)를 적용해 저축한다고 가정(손낙구, 《부동산 계급사회》 92쪽)해 계산했을 때의 결과다. 물론 좋은 부동산 물건을 경매로 구입해서 재테크를 한다거나 하는 방법은 당연히 이 계산에 넣지 않았다.

하는 방법도 있기는 하다. 국토연구원이 2009년 8월 6일자로 발표한 '2008년도

주거실태조사'에 따르면, 일반 직장인이 약 10년 동안 번 돈을 한 푼도 쓰지 않고 모을 경우에 집 살 돈을 겨우 마련할 수 있다고 한다.

　이쯤 되면 이른바 '88만원 세대'들이 독립해서 살 곳을 찾는 게 그리 쉽지 않으리라는 의견에는 누구나 동의할 것이다.* 전국 주요 대도시 평균 땅값이 지난 50여

★ 물론 20대더라도 이미 집을 한 채 (이상) 소유하고 있거나, 현재 지출하는 월세 등의 주거비가 전혀 부담스럽지 않거나, 앞으로도 독립할 생각이 없는 이들도 있을 것이다. 이들은 이 논의에서 잠시 제외하자.

년간 1천 배가량 올랐고 아일랜드와 같은 일부 국가들에서 90년대 이후 땅값이 4, 5배 뛰자 땅값과 집값 거품 현상이 일어나고 있다며 경고하는 사이에, 강남 아파트 가격이 과연 얼마나 뛰었는지 굳이 통계를 제시하지 않더라도 말이다. 그렇다면, 개발독재와 경제성장으로 이어진 혁명적인(?) 땅값의 시기에 부모님들, 삼촌과 이모, 가깝게는 사촌 오빠와 언니 세대들 일부가 '절대 지지 않는' 재테크 수단으로서 부동산을 통해 재산을 불리는 사이 우리*에게 남겨진 살 곳들은 어디에 있을까.

★ 물론 여기서 지칭하는 '우리'는 일차적으로는 사회, 경제적으로 약자의 위치에서 사회생활을 하는 20대를 뜻한다. 그러나 사회, 경제적인 약자라는 의미에서는 누구나 '우리' 안에 들어갈 수 있을 것이다.

'88만원 세대' 우리의 쉴 곳은

우리가 갈 수 있는 곳들은 다음과 같다. 반지하방, 옥탑방, 고시원, 하숙집, 원룸…. 만일 학생이라면 기숙사, 직장인이라면 사택을 제공받는 경우도 있을 테고, 매우 성공적인 경우에는 어느 정도 모아 둔 목돈에 대출을 받아서 집을 장만할 수도 있겠다. 그러나 기본적으로 우리가 갈 수 있는 곳은 반지하방에서 원룸의 범위를 크게 벗어나지 않는다. 온전한 '집'이 아니라 '방'으로 여겨지는 곳들. 오로지 하나의 방 혹은 방들로 이루어진 곳들에서 우리는 삶을 유지해야 한다. 혹자는 다음과 같

이 물을 수도 있을 것이다. 그래도 반지하방과 원룸을 하나의 범주에 넣는 것은 너무 지나친 것 아닐까. 장대비가 쏟아지면 이따금 가구가 물에 잠기는 반지하방과 서울 어느 지역에서는 전셋값만 해도 1억 원이 넘는 원룸을 하나의 분류에 집어넣는 것은 그다지 수긍하기 힘들지도 모른다. 하지만 소유를 하는 '집'이 아니고, 대체로 잠시 머무르며, 대부분의 경우 그 안에서 혼자 생활한다는 점을 감안하면, 반지하방, 옥탑방, 고시원, 하숙집, 원룸을 한 범주에 넣는 것을 무리라고만은 할 수 없다. 2009년 현재 서울시장인 오세훈이 말했듯이, 이 거주 공간들은 '어떤 때는 대각선으로 누워 자야 할 정도로 좁은 11평*'에도 미치지 못한다는 공통점을 가지고

★ 2006년 지방선거운동 과정에서 오세훈 현 서울시장은 한 TV 프로그램에 출연해 토론하던 중 "11평은 너무 좁아서 어떤 때는 대각선으로 누워 자야 할 정도"라고 말해 빈축을 샀다.

있기도 하다.

결국 어느 정도 경제적 여력이 되는 경우에는 보증금을 주고 월세를 내는 원룸(혹은 오피스텔)으로 가고, 보증금을 얼마나 갖고 있느냐에 따라 원룸보다 더 낮은 단계의 옥탑방이나 반지하방, 지하방에 살기도 한다. 보증금을 마련하기 어려운 경우엔 점차 기업형으로 변해 가고 있는 하숙집 또는 쪽방과 비슷하게 취급되는 고시원(여학생 전용, 외국인 유학생 전용 고시원 등으로 점점 세분화되는 한편 여전히 값만 비싼 쪽방과 다를 바 없는 곳들 또한 동시에 존재하는)으로 가기도 한다. 이런 방들 사이에서 20대들은 끊임없이 쳇바퀴를 돌게 된다.

'방살이'의 쳇바퀴는 어떤 식으로 돌아가는가. 먼저 경제적으로 자립을 선언한 20대가 대학교를 다니면서 아르바이트를 하나 정도 하는 경우를 생각해 보자. 한 달 수입이 60만 원가량이라고 쳤을 때 이 돈으로 주거비 지출을 포함한 생계를 유지해야 한다면 들어갈 수 있는 곳은 보증금 없는 고시원이나 하숙집밖에 없다. 이 경우 아마도 그 혹은 그녀는 한 달 수입의 절반가량을 주거비로 내야 할 것이다. 남

는 돈으로는 생활비와 학비를 내고 말이다. 그런데 때마침 등록금이 1천만 원 시대를 맞이하고 있으므로, 결국 이 안타까운 20대는 학자금 대출을 신청할 것이며, 직업을 갖기 전까지는 고시원을 맴돌 수밖에 없다.

이번에는 회사에 취직한 20대 후반이 있다고 가정해 보자. 이 사람의 연봉은 2천만 원 정도다. 이 사람이 보증금 1천만 원에 월세 40만 원짜리 서울 시내에 있는 원룸(2009년 9월 현재 더 올랐지만)을 얻었다고 치자. 이 경우 일단 매달 40만 원씩, 1년에 500만 원가량이 월세로 나간다. 여기에 부모님한테 꾼 1천 만 원을 돌려드리면, 한 해 동안 남는 돈은 약 500만 원. 이 돈으로 먹고살아야 한다는 말인데, 사실상 500만 원으로 일 년을 버티긴 어렵다. 그러므로 이 사람은 아마도 부모님한테 돌려드릴 돈을 계속 미룰 가능성이 높다. 물론 보증금과 월세를 내는 원룸이나 오피스텔을 벗어나 전세로 가는 데도 오랜 시간이 걸릴 테고 말이다. 그런데도 이 사람은 운이 좋은 편이다. 부모에게서 1천만 원이라는 목돈이라도 지원받을 수 있었으니까.

이번에는 내 이야기. 2000년대 초, 룸메이트와 좁은 공간을 나눠 쓰던 대학 기숙사에서 나와 처음 들어간 곳이 보증금 500만 원에 월세가 무려 50만 원인 '원룸(공과금은 별도였다)'이었다. 지금 생각해 보면 지나치게 높았던 천장과 이상한 내부 구조로 보건대 그곳은 필시 차고나 창고였던 곳을 무리하게 개조한 것이었다. 그러나 당시 사정으로는 갈 수 있는 곳이 그곳밖에 없었다. 이후 주택가에 자리 잡은 방이 두 개인 다세대 주택에 보증금 1천만 원에 월세 40만 원을 내면서 지내보기도 했다. 어느 시점부터 나는 경제적인 자립을 선언했고, 아르바이트와 학업을 병행하면서 생활을 꾸려 나가고 있다. 이런저런 아르바이트에서 주거비를 빼고, 거기서 다시 생활비와 학업에 들어가는 돈을 빼면 저축은 생각하기도 힘들다. 나 또

한 위의 사람들처럼 아직까지는 쳇바퀴 도는 생활을 해 나가고 있는 것이다.

방살이, 고립된 섬들

방살이, 즉 방에서 혼자 사는 삶. 쳇바퀴를 도는 것 같은 이 생활이 마냥 부정적인 것만은 아니다. 종종 이런저런 핑계로 얼마든지 캥거루족*이 될 수 있는데도 굳이

★ 대학을 졸업하고 취직할 나이가 되었는데도 별일을 하지 않으면서 부모에게 얹혀살거나 취직했는데도 경제적으로 자립하지 못하고 부모에게 계속 의존하는 젊은 세대.

나와서 혼자 사는 사람들도 있는 것이 사실이다. 많은 사람에게는 불가피한 선택이지만, 또 어떤 이들에게 방살이는 나름대로 억눌린 답답한 생활에서 벗어나 주체적으로 생활할 수 있는 기회를 주기도 한다.* 실제로는 일부 기성세대의 자산 증식에

★ 언론에서 '화려한 싱글'로 묘사하곤 하는 사람들을 말하는 건 아니다. 1인 가구가 증가하면서 이에 대한 대책으로 정부가 내놓은 기숙사형, 원룸형 주택 정책에 부응하여 출시된 '**캐슬 미니'와 같은 곳들을 구매할 수 있는 경제력을 가진 사회 초년생 싱글들이 과연 얼마나 될까. 이른바 '화려한 싱글'을 주위에서 실제로 찾아보기는 힘들다.

큰 기여를 한 땅값과 집값만큼이나, 우리의 방살이 또한 어떤 면에서는 '혁명적'이다. 분명 우리는 우리의 부모들과는 다른 감수성으로 방에서 산다. 부정적인 의미로 보면, 우리가 사는 방들은 고립된 섬이다. 며칠간 계속 회사에 나오지 않는 직장 동료의 원룸을 찾아갔더니 혼자 목숨을 끊은 채 방치되어 있었다거나, 고시원에서 홀로 살던 이가 자기가 살던 고시원에 불을 질러 다른 이들의 목숨을 앗은 사건, 사고들이 이를 방증한다.

그러나 이러한 고립은 때로 '자유'를 뜻하기도 한다. 집에 들어가도 들어간 것 같지 않은 기분이 드는 억압적 환경에서 벗어난 자유, 혼자 있을 수 있는 자유, 성인으로서 자신을 책임진다는 것에 대한 자유…. 동시에 섬처럼 고립된 수많은 원룸과

반지하방과 고시원과 하숙집의 세입자들. 방살이에는 이렇게 너무나도 다른 극단적인 양면이 있다. 그리고 이 둘 사이 어딘가에서 헤매고 있는 사람이 꽤나 많을 것이다. 매달 월세를 부담스러워하고 걱정하면서 그럭저럭 생활을 이어 나가는 사람들 말이다.

혁명은 작은 '연대'에서.

다시금 문제는 대한민국의 혁명적인(?) 땅값과 집값 그리고 적어도 당분간은(혹은 아주 오랫동안) '집'에 들어갈 수 없는 우리에게 주어진 '혁명적인' 주거 형태로서 방살이에 대한 질문이 될 것이다. 어떻게 보아도 정상적이라고 할 수 없는 부동산 가격으로 인해 '내 집 마련'의 꿈을 잃은 세대에게 주어진 '방살이'라는 선택항. 일부에게는 자유의 도피처로, 다른 수많은 사람에게는 자유의 공간이라기보다는 어쩔 수 없이 지내야 하는 곳으로만 존재하는 수많은 '방'들에 대한 질문들이 필요하다. 만약 각자의 방에서 쳇바퀴를 굴리고 있는 우리를 끌어내 사회적으로 연결할 수 있는 방법을 찾는다면 어쩌면 우리는 서로 관계없는 많은 사람이 자발적으로 '연대'했던 2008년 여름과 같은 일(촛불집회)을 다시 보게 될지도 모른다. '연대'라고 해서 집회를 한다거나 비장한 결사체를 구성한다는 이야기는 아니다. '연대'라는 단어가 꽤나 심각하게 들릴 수도 있지만, 같은 원룸 건물에 사는 사람들과 얼굴을 익히고 인사를 하게 된다든지, 한 고시원에 사는 사람들끼리 생활에 도움이 되는 무언가를 공유할 수 있는 작은 모임이나 운동을 하게 된다든지 하는 일들이 그런 '연대'의 출발점이 될 수 있을 것이다. 언제까지 혼자서만 산다는 건 결국 매달 다가오는 월세 고민으로 급격한 고령화를 야기할 뿐이다.

물론 정부에서는 증가하는 '1인 가구'에 대한 대책으로 '연대'보다는 '원룸형 아파트'와 '기숙사형 아파트' 공급을 해결 방안으로 내놓았다.* '도시형 생활주택'으로

★ 국토해양부에 따르면 원룸형은 12㎡~30㎡ 이하, 기숙사형은 7㎡~20㎡ 이하 면적으로 지어질 것이며, 이를 위해 주차장 의무 기준 또한 대폭 완화할 것이라고 한다.

분류되는 이 '아파트'들은 이런 건물들을 쉽게 구매할 수 있는 사람들에게 벌써부터 유망 투자 상품으로 주목받고 있다. 또다시 집값은 웬만해선 내릴 기미를 보이지 않고, 내리더라도 정상적인 방법으로는 살 수 있을 것 같지 않다. 이런 상황 탓에 대한민국 출산율은 세계 최저 수준이고, 그 덕분에 통계청은 2018년부터 인구가 감소될 것으로 예상하고 있다. 그러므로 아마도 앞으로 10~20년 뒤쯤 우리는 '방살이'에 대한 걱정이 아니라 넘쳐 나는 빈 집들과 막을 수 없는 슬럼화를 걱정해야 할지도 모른다. 하지만 지금 당장 우리에게는 '방살이' 외에는 마땅한 선택항이 없다는 것이다.

지금까지의 논의를 요약해 보자. 개발독재와 경제성장 시기를 통해(그리고 여전히) 대한민국의 집값과 땅값은 혁명적인 수준으로 뛰어올랐다. 일부 기성세대가 '부동산 불패'의 신화를 이룩하는 동안 그들의 자식세대라고 할 수 있는 20대 혹은 사회, 경제적 약자인 '우리'에게는 '방살이'만이 선택 가능한 주거 형태로 남겨졌다. 한편 각자의 경제적 수준에 따라 고시원이나 반지하방에서 원룸에 이르기까지 주로 고립된 개인들의 생활공간으로 존재하는 방살이는 양면적인 성격을 가지고 있다. 수많은 '방'이 어떤 사람들에게는 벗어날 수 없는 쳇바퀴를 도는 공간이지만, 누구에게는 기존의 체계를 벗어나 개인적 자유를 향유할 수 있는 공간이기도 하다. 하지만 개별적인 방살이만이 지속된다면 결국 개인들은 계속 현상을 유지하는 생활만 하게 될 테고, 결국 국가적으로는 급격한 인구 감소만이 결과로 남을 것이다.

이제 일종의 주거 형태로서 방살이에 대해 질문을 던져야 하며, 우리는 모종의 연대를 해야 한다. 물론 정부에서 생각하는 해결책은 이와 같은 삶의 변화가 아니라 건설을 통한 더 많은 '방'의 공급이다.

혁명. 헌법에 보장된 권리인 주거권*이 모든 사람에게 평등하게 실현되기를 바

라는 것. 주거권과 다소 거리가 먼 '방살이'의 현실과 이를 넘기 위해 작은 연대를 시작하는 것에서 혁명은 시작될 것이다. 당연히 보장되어야 할 것들을 이야기하고, 그것을 위한 발걸음을 내딛는 일들을 지금 상황에서는 말이다. 이를 위한 구체적인 방법? 궁하면 통한다고, 미친 집값을 견디다 못해 작은 공동체를 이루어 생활하거나(거창하게 들리지만 친구 두세 명이 모여 사는 걸 말하는 것이다) 동거를 시작한 친구들을 한번 찾아보라. 아니, 그보다 먼저 이 글을 다시 한번 읽고 대한민국의 부동산 시장과 헌법 제35조 1항의 관계, 일본의 부동산 시장 거품 붕괴와 대한민국 부동산 시장의 향방, 점차 늘어나고 있는 1인 가구들이 실제로 어떻게 생활하고 있을지에 대해 상상 혹은 고찰을 하고, 더 근본적으로는 지금의 상황이 계속될 경우 당신과 당신 자식의 미래가 어떠할지에 대해 생각해 보았으면 한다.

★ 박재용(연세대 영어영문학과 대학원 1학년)
노무현 대통령 서거 후 시청 앞에 설치된 시민분향소를 찍은 다큐멘터리가 유튜브에서 상당히 인기를 끈 적이 있는데, 이 다큐멘터리를 찍은 이가 바로 재용이다. 그래서 나는 사람들에게 재용을 다큐멘터리 감독이라고 소개하고 싶다. 재용은 대학에 들어가자마자 독립해서 혼자 살고 있으며, 알바로 대학을 마치고 대학원에도 진학했다. 삼성 입사와 고시를 한번도 생각해 보지 않고 자기 삶을 찾아 꿋꿋이 살아가는 젊은이의 훗날 모습이 궁금하다면 재용을 지켜보면 될 듯하다. 학문과 예술 양쪽에서 탁월한 능력을 가진 대학생들이 꽤 있을 터인데, 이런 능력과 열정을 정말 의미 없는 스펙 쌓기에 모두 소진하고 있는 요즘, 그 반대편 길을 선택한 재용에게 박수를 보낸다.

우리는 패션좌파, 패션으로부터 혁명을 꿈꾸다!

···그래서 난 희나(희망＋나눔)를 찾고 있어.
지금까지 애타게 찾아 헤맸던 것 같아.

너희들과 함께 꿈꾸고 나누고 싶기에···

어떻게 이야기를 시작해야 될지 모르겠어. 키보드에 올린 손이 덜덜 떨리는 걸 보니, 많이 긴장한 것 같아. 더불어, 많이 흥분되기도 하고. 평범하기 그지없는 내가 이렇게 우석훈 박사님 책 지면을 빌려 하고픈 이야기를 할 수 있다는 게 정말이지 놀랍거든. 평소 스스로가 '별로 운이 따르는 편'은 아니라고 생각했는데, 이제는 어디 가서 그런 소리 못할 것 같아. 부족한 내 글솜씨 때문에 우석훈 교수님 책의 품위가 떨어질까 봐 두렵긴 하지만, 그렇다고 두려움에 질려 바보처럼 벌벌 떨고 싶지는 않아. 내게 다가온 소중한 인연과 행운을 잘 사용해야 되지 않겠어? 그런 연유로 부끄러움을 무릅쓰고 이렇게 글을 쓰게 됐어. 뭐니 뭐니 해도, 내가 하고픈 이야기를 세상에 널리 알릴 수 있다는 것은 매우 흥분되는 일이니까! 누가 내 글을 읽을지는 모르겠지만, 부족한 글솜씨라도 잘 읽어 줬으면 좋겠어.

그러고 보니, 사설이 너무 길어지는 바람에 미처 내 소개를 하지 못했네. 안녕? 나는 재영이라고 해. 올해 스물다섯 살이지. 일상 속 사소한 것 하나라도 모두 다 소중히 여기는 사람이 되고 싶어. 바라보고 싶은 곳이 많아 이곳저곳 떠돌아다니길 좋아하고, 패션에 관심이 많아 평소 스타일에 목숨 걸고 멋지게 꾸미는 것을 좋아해. 그래서 이번에 내가 쓰려는 글도 '패션'과 관련 있는 글이야.

좀 전에 말했듯이, 나는 패션에 관심이 많아 멋지게 꾸미는 것을 참 좋아해. 그런데 생각하는 건 '좌파'에 가까워. 기존의 '좌파' 이미지와는 조금 다르지. 기존 좌파는 엄숙하고 딱딱한 그런 이미지를 떠오르게 하잖아. 왠지 패션하고는 조금 거리가 있을 것 같고 말야. 나를 거칠게 이분법으로 나눠 얘기하면, 사고방식은 좌파인데, 몸은 우파인 그런 애라고 할 수 있어. 몸과 마음이 괴리된 스스로가 아이러니할 때도 있는데, 간지나게 입고 다니는 게 좋은걸 어떡해. 그래서 난 스스로를 '패션좌파'라고 말해. 패션과 좌파, 뭔가 아리송한 조합이지? 특히, 한국에서는 말이야.

그런데 패션과 좌파가 전혀 접점이 없는 건 아니야. 이탈리아 같은 경우에는 '아르마니를 입은 좌파'라고 해서, 패셔너블하고 위트 넘치는 좌파도 있거든. 반면, 한국 좌파는 뭐랄까. 엄숙한 얼굴로 딱딱하게 굳어 있는 그런 모습이랄까. 패션 센스는 없는 사람이 태반이고. 그래서 나는 한국의 좌파들이 국민들의 마음을 사지 못하는 이유 중 하나가 바로 여기에 있다고 생각해. 일단, 첫인상부터 호감 가질 않잖아. 물론 사람의 실력이나 됨됨이가 훨씬 더 중요하긴 하지. 하지만 첫인상을 바꾸기 위해 60번의 만남이 필요하다는 TV 광고도 나오는 판이야. 이미지는 무척 중요한 거라고. 하여간, 이제는 좌파들에게도 '이미지'가 중요해졌다는 것! 그런 의미에서 난 앞으로는 '패션좌파'들이 중요해질 거라고 생각해.

허나, 나 또한 패션좌파라고 스스로를 정의하면서도 패션좌파에 대해 어떻게 바라봐야 할지는 잘 모르겠어. 여러 사람이 비판하는 것처럼 진보의 가치를 사회적 액세서리로 치장하는 입만 산 자일 수도 있고, 아무 생각 없이 단순히 멋있어 보여 그렇게 하는 사람일지도 모르지.

이러한 문제가 있다는 건 부정할 수 없어. 하지만 그럼에도 불구하고, 앞으로의 진보는 정치적 올바름을 추구하기 위해 '진보'를 선택하는 것이 아니라, '진보'의 가치가 정말 멋있고 간지나서 따라 하지 않고서는 못 배길 그런 게 되어야 한다고 보거든. 그러기 위해선 전략이 필요하고, 여기서 전략은 바로 '패션'이 될 수 있다는 것! 패션좌파는 그런 의미에서 기존의 좌파와 다르게, 전혀 다른 새로운 좌파로서의 가능성을 보여 줄 수 있다고 생각해.

내가 생각하는 패션좌파는 이래.

1. 엄숙함과 진지함 대신에 유쾌하고 명랑할 것!

2. 빨간색 머리띠와 퀴퀴한 조끼 패션이 아닌, 스타일나게 빼입어 간지날 것!

3. 불통(不通)이 아닌 소통(疏通)을 지향할 것!

이는 작년 촛불집회 때를 생각해 보면 명확해지지. 기존의 좌파들이 광장에서 시민들에게 환영받았니? 아니었잖아. 배척받았었지. 소통을 거부하고 대다수 국민들을 계몽의 대상으로 바라봤던 좌파들의 모습은 사실, 정부의 모습과 그다지 다를 바가 없었다고 생각해. 그러니까 국민들이 좌파를 좋아하겠어? 당연히 꺼려 하지. 진보 개혁 진영에서 아직도 마땅한 대선 후보가 나오지 않는 이유 중 하나가 바로 여기에 있다고 생각해. 하여간 난, 스타일나고 간지나는 사람들과 유쾌하고 명랑하게 즐기다 보면, 어느새 세상은 변화되어 있는 그런 상상을 했었어.

하지만 한국에서 좌파로 산다는 것 자체가 가난을 감수하면서 살아야 하는 거잖아. 물론 안 그런 사람들도 있긴 하지만, 기본적으로 좌파들이 가난하다는 것은 부정할 수 없을 거야. 특히, 학생들 같은 경우에는 말할 것도 없지. 쓸 돈은 많고, 가진 돈은 적으니, 당연히 패션에 신경 쓸 여력은 없지. 계속해서 패션 센스는 떨어지게 되는 거고. 이건 뭔가 억울하잖아.

패션으로부터 혁명이…?

이런 연유로 난, 혁명을 일으키기 위해선 우리나라의 의류산업을 변화시켜야 된다고 생각한 거야. 물론 돈이 없어도 잘 입고 다닐 수는 있어. 다만 그렇게 되기 전까진 많은 시간과 노력 무엇보다도 돈이 요구되지. 일단 돈이 있어야 뭘 갖추고 다닐 것 아냐. 그리고 예쁘고 질 좋은 옷들은 보통 가격이 비싸기 때문에 학생들이 접근하기엔 힘들어.

옷은 그저 걸치기만 하면 된다고 생각하는 사람도 있을 거야. 그런데 그렇게 생각하는 사람들도 장례식장에 갈 때는 검은색 옷을 입는 것처럼, 옷차림은 일종의 사회적인 약속이자 사람의 지위나 신분, 성격을 은연중에 드러내 주는 하나의 상징으로 작용한다는 점은 동의할 거라고 생각해.

허나, 패션에 있어 우리 20대의 모습을 관찰해 보면 대다수가 자신만의 스타일을 창조하지 못한 채 소비를 주로 한다는 것을 알 수 있어(이 글을 쓰고 있는 나 역시 그러니까). 결국 일정 부분 돈에, 브랜드에 의존하게 돼. 그래서 난 브랜드 회사가 얄미워. 제품의 원래 가격보다 훨씬 더 큰 폭리를 취하는 게 얄밉다고나 할까? 그래서 이런 상상을 해 봤어. 브랜드 가치, 광고비, 유통비 등을 최대한으로 절약해서 이를 사회에 재투자할 수 있다면? 패션 쪽에서도 하나의 사회적 기업이 새롭게 나타날 수 있다는 거지. 컨셉은 싸고 질 좋으면서도, 이쁘게. 더불어 생태적이기까지 하면 더 좋지. 거기에다 진보의 정신을 나타내 줄 수 있는 표어나 사진을 넣으면 금상첨화겠지.

사회적 기업을 선택한 까닭은 스스로 무언가를 해 보고 싶은 20대가 일하기엔 상대적으로 진입 장벽이 낮다는 점이 많은 영향을 끼쳤어. 노동부로부터 일정한 지원금을 받을 수도 있고, 스펙 경쟁에서 자유로울 수 있으니까. 특히, 20대 디자이너들, 의상디자인학과 학생들 위주로 고용 창출이 가능할 거야. 보통 의상디자인학과 학생들의 졸업 후 진로는 도제식으로 브랜드 회사 들어가 막내부터 차근차근 거쳐 수석디자이너까지 올라가거나, 개인 브랜드 회사를 설립하거나(극소수겠지만) 아니면 동대문 패션 시장에 들어가거나, 일반 회사에 취업하는 거라고 하더라. 이들 중 일부를 사회적 기업에 오게 만든다는 거지. 한마디로 진로의 다각화랄까. 물론 옷의 디자인을 맡을 의상디자인학과 학생 말고도 기획, 홍보, 유통 등 옷을 만드는 데 필요한 인력들을 20대에서 끌어온다면, 이 또한 하나의 실업 대책이 될 수도 있다고 생각해. 그렇다고 꼭 20대만을 위주로 사회적 기업을 구상하겠다는 건 아냐. 다만 내가 20대고, 나의 이야기가 우리의 이야기가 되는 이 세상이니 좀 더 20대에 초점을 맞추었을 뿐이야. 하여간, 내 주장은 이래. 패션에 관심 있는 20대들과 함께 힘을 합쳐, 싸고 질 좋으며, 더 나아가 진보의 정신을 드러내 줄 수 있는 그런 멋진 옷을 만들어 보자는 거야. 이를 통해, 좌파는 딱딱하고 엄숙하고 패션 센스 없다는 기존의 이미지를 '패션좌파'들이 부수어 버리는 거지. 아르마니를 입은 이탈리아의 좌파처럼 한국의 좌파도 세련되고 멋져져서 국민들의 맘을 훔쳐 버리는 거, 그거 정말 가슴 설레면서도 흥분되는 일 아니니?

우리는 패션좌파!!
패션으로부터 조용한 혁명을!!

상상력에 권력을!

가끔 난 이런 상상을 해. 집회나 문화제에서 패션쇼를 여는 거야. 민중음악이나 집회 관련 영상을 반복해서 틀어 주는 것 말고. 모델들은 최근 사회적인 이슈가 되는 사안이나 진보의 정신을 드러내 줄 수 있는 옷들을 입는 거야. 예를 들면 사회적 약자에 대한 배려나, 동성애 차별 금지, 인권 보장, 미디어법 개정 반대, 의료민영화 반대, 용산 참사 규명…. 이런 것들 말이야. 시민들은 이를 즐겁게 구경하면서 사회의식도 갖고 더불어 패션 센스도 키우고. 여기에 아이돌이 오는 것도 나쁘지 않을 것 같아. 올 수 있을지는 잘 모르겠다만. 여담이지만, 한국의 아이돌들이 팬들에게 "우리는 혁명을 원한다!"고 얘기하면, 진짜로 혁명이 일어날 수도 있다고 생각하거든.

또한 이런 상상도 했었어. 집회에서 전·의경들과 대치할 때가 있잖아. 그때 기존에 했던 스크럼으로 경찰들과 맞서는 게 아니라, 기타를 들어 음악으로 노래로 대치하는 거야. 철없고 유치한 상상이지만, 폭력 대신에 평화롭게 음악으로 소통할 수 있다면 얼마나 좋겠니? 비록 지금 현실이 시궁창일지라도, 상상력만큼은 결코 멈춰서는 안 된다고 생각해. 이런 것도 있어. 이 일이 한국에서 실제로 일어났는지는 잘 모르겠는데, 진중권 교수님이 말씀하신 것처럼 집회 때 레이저포인터로 빌딩에 그림을 그리거나 문구를 쓰는 것도 재미있을 것 같아. 집회장이 딱딱하고 엄숙한 분위기의 공간이 아닌, 하나의 거대한 예술 공간으로도 바뀔 수 있다는 거지.

외국의 가든파티처럼 집회에서 파티를 여는 것도 재미있을 것 같아. 서로의 뜻을 공유하며 재미나게 즐기는 거야. 밴드하고 싶은 사람은 여기서 밴드 멤버를 모집하고, 동호회 정모를 이곳에서 열기도 하고 말야. 마음 맞는 사람들끼리 서로 만나 연애도 할 수 있겠지. 촛불집회에서 우리가 목격했던 것처럼, 집회장은 저항과 항의뿐만이 아니라 놀이와 축제의 공간도 될 수 있다고 생각해. 허나, 지금까지 말한 내상상들은 집회의 성격을 훼손하거나 집회를 너무 가벼워 보이게 할 수도 있어. 그러한 문제점에 대해선 충분히 경계해야 된다고 생각해.

이때까지 우리는 스스로에게나 타인에게나 너무 엄숙했던 것 같아. 요컨대, 단

한순간도 재미있게 지내지 못했던 거지. 진보가 즐겁지 않으니까, 당연히 사람들은 자연스레 진보를 기피했던 거고. 그래서 난 집회가 놀이와 축제의 한마당이었으면 좋겠어. 집회 신고가 거부당하니까 대안적으로 행해지는 문화제 말고. 진짜 축제! 먹고, 마시고, 음악과 춤이 함께 어우러지는 공동의 축제 말이야. 그러면 집회에 참가하는 것 자체가 즐거운 일이 되겠지. 놀면서 사회의식을 기를 뿐만 아니라, 더불어 진보에 대한 이미지도 바꿀 수 있는 일석삼조의 효과를 얻을 수 있다는 거지. 공상이긴 하지만, 그렇기에 더 가슴 설레고 짜릿하지 않니? 혼자 꾸는 꿈은 그냥 꿈일 뿐이지만, 함께 꾸는 꿈은 현실이 된다는 그런 말처럼, 우리 이제 상상력에 권력을 주자. 상상력에 경의를 표하자!

★ 유재영(연세대 사회학과 4학년) ·····

재영은 사회학을 전공하지만 사회과학과는 아주 거리가 멀고, '소녀시대'를 아주 열렬히 사랑하는 학생이다. 촛불집회에서 경찰이 첫 물대포를 쏘던 날(블러디 선데이라고도 부르는), 뒷자리에 있다가 엉겁결에 맨 앞으로 밀려 생애 처음 물대포를 맞았다. 그러다 부상을 당해서 변호사 없이 국가를 상대로 아버지와 둘이서 손해배상소송을 1년째 진행하고 있다. 그에겐 촛불집회가 인생관과 삶을 바꾸어 버린 결정적인 사건이 되었다. 지금도 운동권과는 거리가 멀지만, 불의와는 타협하지 않으려고 한다. 본인은 스스로를 패션좌파라고 하지만, 주위 친구들은 맥락없는 얘기를 잘한다 하여 '요정'이라 부른다.

나는 왜 예뻐지고 싶었나

요즘 엄친아, 엄친딸이라는 단어가 유행이다. 이 단어를 듣다 보면 어렸을 때가 떠오른다. 나는 엄친아라는 말이 유행하기 전부터 무수히 많은 엄마 친구의 아들딸 나아가 아빠 친구의 아들딸 이야기를 들으면서 자랐다. 내 친구 아들은 전교 1등을 도맡아서 한다더라, 내 친구 딸은 서울대에 붙었다더라… 하지만 나는 괴롭지 않았다. 얼굴 한번 본 적 없는 그들의 얼굴에 두꺼운 안경을 씌우고 피부색이 안 보일 정도로 붉은 여드름을 상상 속에서 그려 넣었다. 거기에, 전체에서 한 문제 틀렸다고 신경질을 부리다 친구 하나 없는 사람이 되는 설정까지 더하면 나의 승리였다. 어렸을 때 내 목표는 전교 1등을 하거나 서울대에 들어가는 것이 아니었다. 나는 '적당히' 공부 잘하고 또 '적당히' 예쁜 아이가 되고 싶었다.

어려서부터 내 주변에는 예쁜 친구가 많았다. 그 친구들에게 쏟아지는 관심과 호의를 보면서 한번도 입 밖으로 내뱉은 적은 없었지만 이런 말로 스스로를 위로했다. '그래도 공부는 내가 더 잘해.' 그러던 어느 날, 위기가 찾아왔다. 고등학교에 입학해서 가장 먼저 친해진 친구가 나보다 얼굴도 예쁘고 '성적'도 좋았던 것이다. 위안 삼을 것이 없어진 나는 방황했다. 그 후로 반년을 변변찮은 친구 하나 없이 지냈다. 그 일을 계기로 나는 그간의 시간들을 거듭 돌아보게 되었다.

초등학생 때 나는 학급 인기 투표에서 항상 순위권에 들었고, 여중에 다니던 시절에도 학원에서 만난 다른 학교 또래 남자애들 사이에서 인기가 좋았다. 하지만 정작 나는 쌍꺼풀이 없는 눈, 주근깨 있는 피부, 곱슬머리 때문에 외모에 자신이 없었다. 그 시절 나는, 주변 친구들과 나를 비교하면서 열등감을 느끼는 한편 자존감도 쌓으면서 살았다.

그렇게 한 학기가 지나고 새롭게 사귄 친구들도 모두 예뻤다. 그렇지만 더는 '경쟁'하는 마음으로 친구들을 바라보지 않으려고 노력했다. 무언가 결핍된 듯한 상태는 그대로였지만, 이후 학교생활은 즐거웠다. 고등학교 때 기숙사에서 생활했으므로 학교 밖의 공기를 마음껏 쐴 수 있다는 것만으로도 재수 시절은 무척 행복했다.

대학에 입학하고 나서, 고등학교 때 처음으로 사귀었던 친구에게서 받은 충격은 아무것도 아니었다는 것을 깨닫게 됐다. 어렸을 때 부모님이 말씀하시던 공부 잘하고 부모님 말씀 잘 듣는 아이 정도로는 더는 엄친아 혹은 엄친딸 대열에 끼지도 못했다. 집안 좋고, 학벌 좋고, 외모 좋고, 성격 좋고, 스타일까지 좋은 그들을 나는 누구의 말을 통해서가 아니라 두 눈으로 직접 목격하게 되었으니 말이다. 전세는 역전됐다. 내가 무심코 던지는 엄친아, 엄친딸 들의 아빠, 엄마의 직업과 재력에 관한 이야기에 부모님은 그 친구들 부모에게서 흠을 찾곤 했다. "직업 좋고 돈 많은 부부 중엔 화목하지 않은 경우가 많아. 의사라고 다 돈 잘 버니? 요샌 돈 많이 버는 의사는 따로 있다더라." 이런 식이었다.

대학에 다니는 내내 많은 사람이 나에게 항상 당당하고 자신감이 넘쳐 보인다고 말했다. 하지만 유유히 떠다니는 것 같은 겉모습과 달리 나의 발은 물 밑에서 발버둥치고 있었다. 엄친딸들과 비교해 내가 유난히 매달렸던 건 예뻐지고 싶은 욕망이었다. 대학에 입학한 이래 삼 년 동안 즉, 반년 전까지만 해도 나는 매일 아침 부산스러웠다. 보통 수업 시작 두 시간 전에는 일어나서 전신 거울 앞에서 옷을 입었다 벗었다 화장을 했다 고쳤다를 반복했다. 보고서를 쓰느라 밤을 새운 다음 날에도 잠시 눈을 붙이는 대신, 바로 씻고 화장하고 옷을 골라 입고 학교 가는 쪽을 택했다. 넉넉하지 않은 형편이었지만, 피부 관리도 받았고 그냥 두면 관리 안 되는 곱슬머리 때문에 미용실도 자주 찾았다. 비싼 옷을 사 입을 형편은 안 되어도 계절마다 옷과 구두, 가방 따위를 샀다. 그러다 가끔 내가 아무리 열심히 발버둥쳐도 엄친아, 엄친딸 들이 멘 명품 가방과 그 친구들이 신은 수제화를 이길 수 없을 것 같다는 생각에 적잖이 괴로워했다.

나는 왜 예뻐져야 했을까

하지만 나를 더 괴롭힌 것은 내가 스스로를 페미니스트라고 여겼다는 사실이었다. 대학에 입학하기 전까지 나는 친절한 오빠들 덕에 삶이 편한 편이었다. '남녀차별'이라는 단어는 나와는 전혀 상관없다고 생각했었다. 그런데 어떤 이유에서였는진 모르겠지만, 대학에 입학하자마자 페미니즘 공부를 시작하면서 나의 삶과 내가 시작한 공부가 모순된다는 사실을 알게 되었다. 지금 내가 하고 있는 치장은 과연 나를 위한 것인가. 여성을 대상화하고 상품화하는 경쟁에 나는 자발적으로 길들여지고 있던 것은 아닌가. 고민이 밀려왔고 이 일로 또다시 방황하게 되었다. "너는(예쁘장하게 하고 다니니까) 페미니스트 아니지?" 하며 묻는 사람들에게 내가 스스로를 페미니스트라고 생각한다는 것을 납득시키기 위해 싸우는 일도 지겨웠다. 함께 페미니즘 공부를 하던 친구들은, 예뻐지고 싶은 욕구는 당연한 것이고 그 욕구를 발현하는 방법은 각자 다른 것이라며, 충분히 성찰하고 선택한 것이라면 죄책감을 가질 필요는 없다고 조언했다. '페미니스트'라는 정체성을 어떤 외적 기준으로 판단하려는 사람들의 말에 일일이 반응할 필요 없다고도 말해 주었다. 친구들의 그런 말에 어떤 때는 힘이 나다가도 곧 자신이 없어지는 등 이런 일이 반복되었다.

이런 상황에서도 나는 익숙해진 차림을 쉽게 바꾸지는 못했다. 그러다 휴학했던 학기에 급기야 '사고'를 쳤다. 오지랖이 넓은 덕에 학교에 입학한 이래 삼 년을 휴일, 방학도 없이 학생회 활동을 하면서 학교에서 살았다. 어느 날 문득 그 생활이 지겨워져 한 학기 휴학을 했던 것이다. 휴학하는 동안 연극도 배우고, 제과제빵도 배우고 싶었지만, 부모님 안심시킨다고 토플 학원에 등록하고 말았다. 결국 영어는 영어대로 공부 안 하고, 배우고 싶었던 것들도 못 배우면서 시간만 허비했다. 휴학 기간을 이렇게 보낸 것이 아쉬워서 한 일이, 토플 학원이 있던 강남역 앞의 모 성형외과에서 한 쌍꺼풀 수술이었다.

실은 전부터 쌍꺼풀 수술을 할까 말까 고민했었지만, 진짜 수술을 하기로 결정한 건 충동적이었다. 정신을 차리고 보니 이미 일은 저질러진 뒤였다. 복학하고 나서는, '성형수술'까지 했는데 전과 달라진 것이 없다느니, 예전이 더 낫다느니 하는 소리를 듣고 싶지 않아서 더욱 치장하는 일에 매달렸다. 한동안 끊었던 피부 관리도 다시 받기 시작했고, 쇼핑도 자주 했다. 두세 달에 한 번 가던 미용실 가는 횟수도 잦아졌다. 예뻐졌다는 말은 기분 좋았지만, 그만큼 고민은 깊어졌다. 나는 왜 이러고 있을까….

'예쁨'에 대한 생각이 달라지다

그러던 어느 날, 외모도 '경쟁력'인 시대라 취업을 잘하기 위해서 피부 관리를 받는 것은 기본이고 성형수술을 하는 사람들이 늘고 있다는 뉴스를 보았다. 나는 그리고 우리는 정말 더 가치 있는 상품이 되기 위해서 예뻐지고 싶은 욕망을 갖는 걸까? 그래서 화장도 하고, 성형수술도 하고, 매일 저녁 부은 발을 주무르면서도 내일 아침 또다시 하이힐을 신고 나서는 걸까? 나는 이 주제로 친구들과 함께 프로젝트를 시작했다. 여자 일곱, 남자 세 명이 모여 '나는 왜 예뻐지고 싶은가'라는 질문에 대한 답을 찾아갔다. 그 과정이 쉽진 않았다. 어떻게 해야 이 문제를 풀 수 있을까. 고민하던 우리는 떠오르는 아이디어들을 닥치는 대로 실천해 보았다. 내가 생각하는 '예쁨'은 무엇인지 몇 주에 걸쳐 이야기해 보았고, 내가 예뻐지고 싶어서 하는 일들은 무엇인지도 찾아보았다. 나는 왜 예뻐지고 싶은가라는 질문을 직접적으로 서로 묻기도 했다. 이야기를 처음 시작할 때는 '자기만족'이라는 말이 가장 많이 나왔지만, '잠재적 연애 대상자'로 '인정'받기 위해서라는 답변이 나오면서, 실제 '자기만족'도 타인의 평가에서 나온다는 의견으로 이어졌다. 할리우드 여배우들이 나이듦에 대해서 이야기하는 영화도 함께 보았고, 성형외과에 가서 '견적'이란 것도 내 보았다. 민낯으로 카메라 앞에 서서 나이듦에 대해서 당당히 말하는 할리우드 여배우들 모습은, 주름지지 않은 얼굴을 '예쁨'과 밀접하게 여기던 우리에게 신선한 충격을 주었다.

성형외과에서 낸 견적은 우리의 신체 각 부위마다 사회가 예쁘다고 인정하는 기준들이 있다는 사실을 직접 느끼게 해 주었다. 쌍꺼풀을 하거나 코를 높이는 정도의 성형수술만을 알고 있던 우리는 상담을 받으면서 수술 부위와 종류가 너무 많다는 사실에 충격을 받기도 했다. 마지막으로 우리는 평소와 다른 나로 변신도 해 보았다. 매일 예쁜 차림으로 학교에 가기 위해 분주했던 나 같은 경우에는, 맨 얼굴로 머리를 질끈 묶고 청바지에 운동화 차림으로 학교에 갔다. 평소에 늘 단정한 차림이었던 친구들의 경우에는 최신 유행 스타일로 꾸미고 학교에 왔다. 어떤 식의 변화인가에 따라 주변의 반응은 달랐다. 이 실험을 하는 동안 우리는 기존에 알고 지내던 사람들과는 마주치지 않으려고 노력했다. 차림새가 낯선 것도 그 이유였지만, 자신의 외양이 정체성을 드러내는 중요한 도구라는 사실을 확인하는 미션을 제대로 수행하기 위해서였다.

답이 있는 질문인 것도 같고 없는 질문인 것도 같았던 프로젝트는 한 줄로 요약되는 결론 대신에 예뻐지고 싶은 욕망을 바라보는 시각과 그 욕망을 실현하는 방법에 대한 시각에 변화를 주면서 끝이 났다. 대학에 처음 입학했을 때만 해도, 주변 사람 중 누가 성형수술을 했다는 이야기를 들으면, 뒤에서 흉을 보았다. 지나가는 사람들을 보면서 친구들과 "저 사람 성형한 것 같지?" 하며 비난조로 자주 얘기했다. 그러나 프로젝트가 끝난 후에 나는, 누가 성형수술을 했다는 이야기를 들으면 본인이 만족하는지를 먼저 묻게 되었다. 인터넷을 떠도는 연예인들의 과거 사진을 볼 때에도 그 연예인의 성형수술 여부에 관심이 생기기보단, 누구의 몸을 유희 거리로 올려놓고 수술인지 아닌지 논하는 일로 시간을 보내는 사람들에게 연민을 갖게 됐다. 그리고 예뻐지고 싶은 욕망, 그 욕망을 실현하기 위해 애쓰느라 스트레스도 받지 않게 됐다.

'인간에 대한 예의'를 지키면서 산다

각종 알파벳으로 설명되던 우리 세대에게 우석훈 선생님은 새로운 이름을 지어 주셨다. 88만원 세대. 알파벳이 붙었을 때 우리 세대는 공통적으로 '개성'과 '다양성'으로 설명되곤 했었다. 하지만 88만원 세대가 된 우리는 알아 버렸다. 우리에게 '개성'과 '다양성'은 없었다. 그것은 '구입'해야 할 것이지 애초에 우리가 가지고 있던 것과는 거리가 멀었다. 그래서 우리는 명품을 살 수 없음에 괴로워했고, 유행하는 스타일을 쫓기 위해 바둥거렸다. 우리는 경쟁했다. 그리고 사회생활을 하는 '진짜 어른'이 되기 위해서 우리가 구입했던 개성과 다양성을 버려야 했다. 스펙을 쌓아야 된다고 하던가. 남과 같은 것을 갖되 더 높이 쌓아야 했다. 이번에도 우리는 경쟁했다. 최근 유행하는 엄친아 혹은 엄친딸은 20대인 우리가 이러한 사회에서 승자로 살아남기 위해서 가져야 할 '최소한의 조건'을 의미하는 말이었다. 이제는 사회가 정해 놓은 어떤 기준안에서 평가받고 경쟁하는 것이 재미없는 일이라는 것을 조금씩 느끼고 있다.

최근의 일상으로 이 글을 마무리하면, 나는 예전만큼 열심히 치장하지 않는다. 그렇다고 예뻐지고 싶은 일에 전혀 관심을 잃은 것은 아니다. 하지만 다른 재미있는 일들도 많이 생겼다. 나는 대기업에 들어가고 싶은 생각이 없다. 고시를 보고 싶은 마음도 없다. 재산이라고는 경기도 어느 지역에 오래된 빌라 한 채 가지고 있는 것이 전부인 우리 부모님, 명문대 간 딸이 결국에는 그들이 기대하는 방식으로 '성공'하리라고 순진하게 믿고 기다리시는 부모님에게는 죄송한 말이지만, 이 마음 변하지 않을 것 같다. 이 글을 읽은 누구는 나더러 철이 없다고 얘기할지도 모르겠다. 그래도 어쩔 수 없다. 굶지 않으면서도 '인간에 대한 예의'를 지키면서 살 수 있는 일을 찾아보고 싶다. 모르는 것이 너무 많고, 알고 싶은 것도, 알아야 할 것도, 너무 많다. 책도 봐야 하고 고민도 해야 하고 그러다 보면 술도 마셔야 한다. 요즘은 자연스레 밤을 지새우는 일이 많아져 몇 년을 공들여 가꾸어 놓은 피부도 예전 같지 않다. 그래도 나는 즐겁다. 물론 요새도 옷장에 가득한 옷들을 보면서도 입고 나갈 옷이 없어 고민한다. 우연히 채널을 돌리다 본 프로그램에서 같은 과 출신 선배가 엄친딸로 출연한 것을 보면서 부러워하기도 했다. 하지만 나는 당당하게 살련다. '인간에 대한 예의'를 잃지 않고 사는 '진짜 어른'이 되기 위해!

★ **방영화(연세대 언론홍보영상학부 4학년)** · · · · ·

1년간 스터디팀에 참가했던 학생들 중에서 가장 가난했던 것 같다. 언제나 리더십을 발휘하며 리더로 움직였던 친구다. 영화는 연세대 운동권의 대모 중의 한 명이고, 맨 앞에 서기보다는 뒤에서 서로 다른 조직들 사이의 갈등을 조율하는 역할을 했다. 학생생협에서 오랫동안 활동했고, 연세대의 생협운동과 생태운동을 대표한다. 공부를 아주 잘하고, 성격도 명랑, 쾌활하다. 성적이 좋고, 수업과 학생운동 모두에서 좋은 성과를 낸, 80년대 운동권과는 전혀 다른 패턴을 보여 주는 친구다. 최근 졸업을 앞두고 학자가 되는 것과 현장 활동을 계속하는 것 사이에서 고민하고 있다. 민주노총 간부들이 강연회에서 이 친구를 만나고는 새로운 대학생 모습에 무척 놀랐던 적이 있다.

웃으면서 울기

이건, 나만의 이야기일 수도 있고, 당신의 이야기가 될 수도 있을 것 같다.

비가 추적추적 오는 아침에, 여느 때와 다름없이 하이힐에 발을 구겨 넣고 학교로 향한다. 전철 안. 내 무게를 가느다란 힐로 버티는 발이 아프다고 난리다. 고통을 못 견뎌 앞에 앉아서 자고 있는 어떤 사람을 흘긴다. '나보다 힘들지도 않으면서.' 속 좁은 말을 속으로 중얼거린다. 옛 중국의 여성들이 겪었던 전족의 고통과 지금 내가 하이힐을 신어 겪는 고통이 비슷했으리라는 우스운 생각도 해 본다.

그러나 그것도 잠시. 등록금을 미처 마련하지 못해 학자금 대출을 받아야 한다는 생각에 눈앞이 캄캄해졌다. 학교를 다닌 지 3년밖에 안 됐는데 내 이름으로 된 대출금만 1천만 원이 훌쩍 넘는다. 휴학을 해야 하나. 교수님께 제발 장학금 좀 받게 해 달라고 사정해 볼까. 이런 생각들이 정점에 이르면 차라리 죽고 싶다는 생각만 든다. 그러다가도 나 하나 죽는다고 해서 등록금이 내려갈까라는 생각이 들어 자살도 또 쉽게 단념하고 만다. 정말 미칠 노릇이다. 과외를 아무리 해도, 이쪽저쪽으로 아르바이트를 구해 봐도, 손에 겨우 움켜쥔 돈은 감쪽같이 사라지고 만다. 워낙 푼돈이다 보니 차곡차곡 저축을 해 보려 해도 잘되지 않는다. 그저 내가 쓸데없이 돈을 많이 써서일 거라는 자책만 늘었다. 분식집, 베이커리, 헬스클럽, 카페 알바를 거쳐거쳐 일을 해 보아도 남는 것은 '웃으면서 울기'라는 스킬뿐이다. 스펙 하나 없이, 토익 점수 하나 없이 말이다. 능력도 쥐뿔 없는 것이 감히 취직을 생각하다니!

빚이 '빛'을 앗아갈 때

친구들은 내게 쉴 새 없이 취업 얘기를 늘어놓는다. 굳이 취업이 아니어도, 누가 과외 아르바이트를 하고 있으면 자기도 연결해 달라고, 한번 알아봐 달라고 사정한다. 우리는 서로가 그리워도 쉽게 만나자는 말을 꺼내지 못한다. "그립다. 언제 날 잡아서 만나자." 이 말로 겨우 만나고픈 마음을 전한다. 그런데 전해졌을까. "우리 도대체 언제 만나니?"라는 나의 말에 친구는 "실은… 내가 돈이 없어서 만나기가 좀 그래." 하며 그제야 속사정을 털어놓는다. 어딜 가나 돈이 숭숭 빠져 나간다. 사실 만날 시간도 부족하다. 결국은 "나도 그래."라고 말할밖에.

캠퍼스 안은 나와 다른 세계를 사는 애들로 가득차 있는 것 같다. 상대적 박탈감에 목이 조여 온다. 허술한 나의 옷차림이, 뚱뚱한 내 팔다리들이 저주스럽기만 하다. 하지만 내가 이렇게 구차하게 허덕이는 건 내 탓이 아니라고 애써 위로도 해 본다. '내 돈으로 등록금을 마련하자'는 캠퍼스 안의 구인광고가 날 실컷 비웃는다. 비웃으려면 비웃어 보라지.

집마저도 숨 쉴 공기가 부족한 것 같다. 공기마저 모두 돈으로 사야 할 것 같은 느낌이다. 집은 제1금융권에 빌린 돈을 갚지 못해 경매를 하겠다는 압박에 밀려 제2금융권에 손을 뻗었다. 제1금융권의 빌린 돈을 못 갚아 제2금융권에서 돈을 빌리다니, 참, 아이러니하다. 어떤 종교는 인간의 몸과 영혼은 신의 것이기 때문에 매일 헌신하고 바쳐야 구원을 받을 수 있다던데. 제2금융권이여, 우리 가족을 구원하소서.

비가 억수로 쏟아진다. 그 광포한 빗줄기에 웅덩이가 생길 정도로 아스팔트가 깊이 패일 것만 같다. 근데 우산이 없다. 엄마더러 우산 갖고 마중 나와 달라고 하고 싶지만, 핸드폰은 정지됐다. '미납요금… 미납요금… 미납요금시 수신이 정지될 수도 있사오니….' 퍼뜩 우스운 생각이 든다. 최근 어느 통신사에 인턴을 지원했었다. 결과는 '함께하고 싶었으나, 정원이 제한되어 있기 때문에 함께하지 못하게 되었습니다….'였다. 정말, 우리는 함께할 수 있었을까? 혹시 내 미납요금 때문에 함께하지 못한 건 아닌가요? 참으로 낭만스럽게, 나는 여름비를 흠뻑 맞고 집에 돌아왔다.

남자친구에게 나의 고민을 조심스레 털어놓는다. "우리집… 사채까지 빌렸어…." 남자친구는 "그럼 과외 자리라도 알아봐 줄까? 학교에서 학자금 대출 이자 지원해 준다던데 그거 신청해 봐. 교수님한테 당장 가서 말하고…."라는 말을 쉴 새 없이 쏟아 낸다. 나를 걱정해서 해 주는 말인 건 알겠는데, 그 말마저 나를 코너로 몰아세우는 기분이다. 눈에는 눈물이 핑그르르 도는데도 입은 웃고 있다. "고마워… 알았어…." 그러자 남자친구는 나에게 좋은 정보를 알아냈다며 달뜬 목소리로 금융계에 취직할 때 필요한 '금융3종 자격증'에 대해 열심히 설명한다. 내 꿈이 뭐였는지 기억이나 할까?

빚도 경쟁도 '뿅' 사라진다면

내 동생은 어딜 가나 자신만만하고 생기발랄했다. 공부도 무척 잘해서 졸업할 때 경기도 지사상도 받을 정도였다. 조금 약삭빠른 면도 있지만, 천생 귀엽고 사랑스러운 아이다. 친구들에게도 인기가 많아서 친구들을 몰고 다니는 리더기도 했다. 하지만 이런 동생에게도 스무 살의 삶은 쉽지 않았다. 아버지는 늘 동생에게 크게 기대하셨다. 어수룩한 나보다는 총기 가득한 눈망울을 가진 동생이 당연히 집안을 일으켜 세우고, 부모님 노후도 보장해 주리라 기대하셨던 것 같다. 근데 웬걸, 아버지가 그토록 원했고, 동생 또한 간절히 바랐던 서울대학교에서 동생을 똑 떨어뜨린 것이다. 아버지의 실망감과 동생의 좌절감이 한동안 집안 구석구석에 음습하게 떠돌았다.

차선책으로 동생은 부모님의 성화에 못 이겨 지방 교대에 입학했다. 아무리 국립 대라도 등록금은 문제였다. 동생은 학자금과 함께 생활비도 100만 원 대출을 받았다. 생활비 100만 원은 집 빚의 이자를 갚는 데 쓰였고, 동생은 거의 빈손으로 춘천으로 내려갔다. 한동안 동생은 기숙사에 있으면서 고열과 오한에 시달렸다. 뽀얗던 얼굴이 헬쑥해져서 까슬해 보일 정도였다. 동생은 교대에 가고 싶어 하지 않았다. 내가 봐도 교대와 동생은 어울리지 않았다. 동생은 영화나 프로그램을 반복해서 봐도 매번 새롭다고 말할 정도로 텔레비전을 무척 좋아했다. 프로그램이 하나하나 만들어지는 과정을 신기해 했다. 그렇지만 공무원 중에서도 초등학교 선생님이 최고라고 여기는 아버지 앞에선 말 잘 듣는 착한 딸일 뿐이었다.

그러나 동생의 대학 생활은 겨우 한 달 만에 끝나고 말았다. 동생은 학교 생활에 적응할 수도 없었고, 적응하기도 싫었던 것 같다. 시든 꽃마냥 생기가 사라져 가는 동생의 얼굴을 보면서 부모님도 더는 어쩌지 못했다. 결국 동생은 다시 수능을 준비하게 되었다. 돈이 없어 학원에 다니지는 못하지만 동생은 매일 새벽 6시에 일어나 종일 공부를 한다. 치열한 경쟁 속에서 다시금 시들어 가는 스무 살 청춘을 나는 그저 안타깝게 지켜본다. 동생은 나중에 대기업에 취직해 돈을 많이 벌겠노라 했다. 그럴 때마다 나는 그녀가 고이 간직했던 10대의 꿈을 잊은 듯해 슬프다.

가끔 동생과 나란히 누워 컴컴한 천장을 바라보며 꽤나 다정하게 이런저런 말을 주고받는다. 이때 금기시되는 화제가 있는데, 바로 '돈' 얘기다. 얘기해 봤자 서로 맘만 아프다는 걸 이젠 안다. 도란도란 말을 주고받다 보면 어느새 잠잘 시간이다. 행복한 순간이다. 하지만 내일 또다시 아침이 오는 것은 너무나 괴롭다. 타고난 생기발랄한 성격 때문인지 몰라도, 동생은 내게 어서 자라며 귀여운 한마디를 던진다. "뿅!" 그 순간, 우리를 힘들게 하는 빚, 경쟁도 모두 '뿅' 하고 사라졌으면.

"사시 되면 다 해결돼!"

연애. 쉽지 않았다. 한때 경제적으로 힘든 것이 너무 짜증이 나, 돈 많고 학벌 좋은 남자도 만나 보려고 했다. 우습게도 끼리끼리 만난다고 하나. 남자친구네 집 사정도 그리 좋지 못하다. 친구들 사이에서 남자친구 별명은 '거지'였으니까. 나는 '빈대.' 우리는 학교에서만 만난다. 그나마 학교 안에선 200원짜리 자판기 커피를 뽑아 먹을 수도 있고, 같이 애기할 수 있는 벤치도 있으니까…. 밖에 나가면 우린 아무것도 하지 못한다. 이야기를 나눌 장소를 소비해야 하고, 음료를 소비하는 것을 매일 할 수는 없으니까. 아, 370만 원을 내고 학교라는 공간을 소비했다 치면 되는구나. 학생증이 없었으면 어쩔 뻔했지?

남자친구는 내게 어서 취직하라는 말과 동시에 자기도 어서 취직을 하고 싶다고 말한다. 그래야 날 데리고 살지 않겠느냐고. 그런 말에 남자친구가 믿음직스럽고 고마웠던 걸 보면 내가 얼마나 자립적인 여성이라는 이상에서 멀리 떨어져 있는지 알 것 같다.

스물네 살이라는 나이가 연애하기 어렵게 하는 것 같다. 정말 나이 때문인지 아니면 이 나이에 연애하기 어렵게 사회가 그렇게 만든 건지 잘 알 수는 없지만. 나와 남자친구는 취업 때문에 서로 이야기를 나눌 시간이 부족하다. 서로에 대해 이야기하는 교감이 부족한 편이다. 종종 남자친구는 내게 말한다. "조금만 우리가 더 일찍 만났더라면…." 도서관에서 종일 토익 공부, 취업 공부 하느라 6개월 남짓 되는 연애 기간 동안 영화관 데이트도 두 번밖에 못했다. 물론 돈이 없는 것도 이유였겠지만, 우리 둘 다 마음의 여유가 없었던 것 같다. 주말마저도 우리에겐 주말이 아니었고, 공부하기 고달프다는 하소연만 주고받는다.

친구들과 오랜만에 밥을 먹게 되었을 때 연애에 대해 수다스럽게 얘기를 했다. 나와 친구들은 새롭게 연애를 막 시작한 한 친구의 설렘을 무척 부러워했다. 연애가 주는 설렘을 잊어버린 지 너무 오래된 거 같다. 어떤 친구는 자신에게 사귀자고 하는 선배의 제안이 너무 황당했다고 했다. 자신을 좋아한다는 고백이 아니라, '제안'이라고 표현했다. 오랫동안 친구를 봐 왔던 선배는 직장을 잡고선 친구에게 연애를 제안했다. "나는 직장을 잡았고… 그만큼 안정되어 가고… 그러니 오랫동안 봐왔던 네가 나와 연애한다면 이 '안정'이 더 안정될 것 같다." 뭐, 이런 식이었다고 한다. 친구는 불쾌감을 감출 수 없었다고 했다. 자신이 어떤 사람인지 잘 알지도 못하면서, 사랑하는 게 아니라 단순히 안정적인 그 삶 안에 자신을 끼워 맞추려는 것 같다며. 친구는 스물네 살의 연애가 이렇게 낭만도 없고 설렘도 없는 거냐면서 하소연했다. 가끔 나도 설레던 연애를 그리워한다. 그렇지만 그건 과거일 뿐이다. 현실은 내게 또 다른 것을 요구하는 것 같다. 어른들의 연애가 다 그런 건가.

어느 날, 남자친구와 남자친구의 친구들을 호프집에서 마주한 적이 있었다. 그중에 실연을 당한 남자친구의 후배도 있었다. 술이 취하자 남자친구 후배는 슬픔에 취해 눈시울을 붉혔는데, 이를 본 남자친구의 또 다른 친구들이 이상한(?) 위로의 말을 전했다. "사시 되면 다 해결돼." 법대생인 남자친구의 친구들은 오직 '사시'에 목을 매는 것 같다. 사법연수원생인 선배는 후배들에게 이런 자랑을 한다. "결혼정보회사에 가입도 안 했는데, 가입하라고 알아서 전화가 오더라고…" 그러니까, 실연당했을 때는 사시에 붙으면 슬픔도 사라지는 거구나, 사랑과 사시는 같은 '사' 자니까. 등가교환이 가능한가요? 남자친구가 나와 막 연애를 시작했을 때, 친구들이 말렸다고 했다. 공부하면서 연애를 어떻게 하겠느냐면서. 남자친구는 조금이라도 내가 여유를 보이면 다그치곤 했다. 그러다가 말다툼이라도 하게 되면, 이렇게 말했다. "나도 4학년이고 너도 4학년이어서 당연히 여유 안 부리고 함께 열심히 공부할 줄 알고 사귄 건데…." 자기가 아는 커플들이 얼마나 도서관에서 열심히 공부하는 줄 아느냐면서.

아무런 스펙이 없어 취직은 어려울 것 같아서 결혼을 해 버릴까 하는 생각도 했다. 물론 지금의 남자친구와 결혼하는 것은 절대 아니었다. 요즘에도 가끔 돈 때문에 짜증이 밀려오면 그 생각이 스멀스멀 올라온다. 결혼정보회사에 가입하면 나는 과연 몇 등급으로 나올까. 비정규직 물리치료 일을 하고 있는 친구가 하는 말로는 '물리치료사는 B등급'이라 한다. '여자의 모든 인생은 20대에 결정된다'고 말하는 자기계발서는 '좋은 물'에서 놀라고 하는데…. 대체 당신들이 말하는 '좋은 물'은 어디에 있는 건가요? 20대 초반이라는 나이에 '선'이라는 세계에 뛰어들면 경쟁력은 있단다. 돈 많고 안정적인 아저씨에게 통한다고 한다.

우연히 나보다 나이가 많은 대학 동기와 마주친 일이 있었는데, 생글생글 잘 웃는 그녀에게 남자친구와 연애는 잘되고 있는지 안부를 건넸다. 나이 차가 꽤 나는 남자친구를 둔 언니는 여유가 만만했다. 여유도 있고 뭐든지 야무지게 잘 해내는 모습이 부럽다고 하니까 언니는 꽤나 자신감 있는 목소리로 이렇게 말하는 것이 아닌가. "남자친구 앞날이 창창하다 보니까, 나도 많이 안정된 것 같아."

햇빛은 쨍쨍, 모래알은 반짝. 남자친군 창창, 내 인생도 반짝?

친구야, 괜찮아

아버지는 늘 내게 '네 주제에 맞게 살아라'라고 말씀하신다. 내 주제가 뭔지 난 아직 잘 모르겠다. 한때 내겐 꿈이 있었다. 하지만 아버지한테는 입도 뻥긋하기 싫었다. 또 '네 주제에….'라는 말이 튀어나올까 봐. 그런 여지를 만들고 싶지 않았다. 아버지는 공무원과 결혼하는 게 제일이라고 하셨다. 나더러도 9급이든 10급이든 공무원 공부를 시작하라고 하셨다. 평범하게 살다가 평범하게 공무원과 결혼하고, 또 평범하게 애를 낳으면서 살라고 재차 말씀하신다. 내가 평범한 생각을 갖고 있지 않아서인지 아니면 내가 내 주제를 잘 몰라서 그런지 나는 아버지 눈에는 한심한 첫째 딸이다. 살림 밑천이 되기는커녕, 자기 앞가림도 못하는 첫째 딸. 어쨌든 나는 절대 물려받을 유산 따윈 없다. 아, 있구나. 빚이라는 유산. 학자금도 대출받았으니까, 결혼 자금도 대출받으려나. 무이자였으면 좋겠군요.

술 취한 아버지의 평범해지라는 말이 너무 듣기 싫어서 무작정 동네 놀이터로 뛰쳐나갔다. 나의 오래된 동네 친구는 캔 맥주와 담배를 건네며 위로를 한다. "우린 잡초 같으니까, 마구 짓밟혀도 금방 일어설 거야. 그러니까 힘내자." 나는 친구에게 나의 꿈에 대해 말하면서 하소연했다. 하지만 친구도 역시 그 꿈을 포기하는 게 나을 것 같다고 얘기한다. 우리한테는 서포트해 줄 누가 있는 것도 아니고, 모두 자기가 하고 싶은 대로 하면서 사는 건 아니지 않느냐며. 현실과 타협할 줄도 알아야 하고, 지금은 당장 벌어진 경제위기를 모면하는 게 꿈보다는 우선이지 않겠느냐고.

그래, 우리는 잡초니까 잘할 거야. 하하하.

나에게도 싱그러운 꿈이 있고, 마음껏 웃고 떠들었던 20대의 단편이 있었다. 그때 우리는 즐거웠고, 스펙 따윈 생각하지 않아도 되었다. 그런데 그 시절은 어디로 날아가 버린 걸까. 그건 또 왜지?

먼저 졸업을 앞둔 한 친구는 내게 이런 푸념을 했다.

"나는 정말 소소한 즐거움에 행복해 하면서 살았는데, 다른 사람들 눈에는 그런 게 야망도 없고 정신없이 노는, 현실에 대해 전혀 무감각한 철부지 같은 사람으로밖에 보이지 않았던 거야. 진짜 많은 걸 배울 수 있는 수업들도 있었는데, 지금은 그때 배운 것이 아무 소용도 없는 것처럼 되어 버렸어. 배우고 싶지도 않던, 그 있잖아 물건을 어떻게 잘 팔 것인가 궁리하는 마케팅 뭐 그런 거, 나를 어떻게 상품화할지를 가르치는 경영학을 복수 전공하지 못한 게 참 바보스럽게 되어 버렸고. 취직하기가 어려우니까. 다들 경영학을 전공했거나 복수전공한 사람들을 선호하잖아. 어쨌든 친구들과 웃고 떠드는 데에 시간을 낭비해 버린, 토익 점수 하나 제대로 만들지 못한 나는 얼빠진 애가 돼 버린 거야."

친구야, 괜찮아. 너의 마음속에 있는 그 그리움을 나도 갖고 있어. 그러니까, 함께하자. 마음 놓고 웃을 수 있고, 소소한 즐거움에 행복해 했던 그 시간들을 다시 불러내면 돼. 할 수 있어. 우리를 조여 왔던 끈들을 하나씩 녹여 버리자. 우리의 간절함으로.

★ 백고은(연세대 사회학과 4학년) ·····

고은을 설명할 수 있는 단어로 무엇이 있을까? 본인의 표현대로라면 미모와 지성을 겸비한 이라고 할 수 있는데, 맞는 말이고 여기에 가난을 하나 더 추가해야 할 것 같다. 훗날 그녀가 자신의 청년기를 돌아보았을 때 가장 먼저 떠올릴 단어가 '빚 독촉'이 아닐까 싶다. 자신의 등록금 빚에 부모의 빚까지 얹혀져 2009년 대한민국이라는 공간 속에서 허덕거리며 살아가는 청춘은 고은과 고은의 동생을 두고 하는 말일 것이다. 공부와 연애를 아주 열심히 하며, '가난한 연인'이 지금 어떤 모습으로 연애하는지 보고 싶다면 백고 커플을 보면 된다. 당장 서 있는 것도 어렵고, 다음 학기 등록금을 마련하는 것도 버거워 '정의롭게' 살고 싶어도 그럴 수 없노라고, 즐겁고 명랑하게 살고 싶지만 그렇게 잘 안 된다고 그녀가 말할 때마다, 나는 가끔 눈물을 흘린다.

탈학교, 그 후

올해로 탈학교 한 지 8년째다. 이제 대학 졸업을 앞두고 있는 나는 부모에게는 큰 곡절을 겪게 했으나 이제 '정상' 궤도로 올라와 다행인 자식이고, 친구들 사이에서는 독특하게 대학에 간 친구이고, 대학 친구들에겐 조금 다른 길을 걸어온 동기다. 8년이라는 시간이 흘러 어느 정도 나이가 든 만큼 이제 일상에서 탈학교생으로서 부딪히는 일들보다는 20대거나 여성이거나 대학생으로서 겪는 일이 더 많아졌다. 이 때문에 지난 시절을 구구절절 설명하기엔 참 옛날 이야기가 되어 버렸지만, 전보다는 더 여유로운 마음으로 떠올려 본다.

자퇴서에 도장을 찍다

고등학교 2학년 여름 방학이 끝난 뒤 나는 탈학교 했다. 이 소식을 담임에게서 전해들은 같은 반 친구들은 "넌 역시 뭔가 달랐어." "넌 성공할 거야." 같은 풋풋한 메시지로 내 선택을 응원해 주었다. '봉선생'이라 불리던 학년주임은 자습시간에 학생들에게 "방학 동안 세 명이 자퇴했는데, 그것들이 어디 잘되나 두고 보겠다."며 으름장을 놓았다고 한다. '탈학교' 하는 10대들의 존재가 수면 위로 등장한 지 얼마 안 된 즈음이라, 자퇴생들은 천재 아니면 낙오자를 의미했다. 나 또한 정말로 이 세상의 나락으로 떨어져 버릴까 봐 늘 불안해 했다. 하지만 20대 후반이 된 지금 나는 생각보다 꽤 평범한 삶을 살고 있다. 모두가 가는 길을 벗어났지만, 망하기도 쉽지 않달까? 오히려 새로운 길을 간다는 불안감이 나를 계속 부지런하게 만들었는지도 모른다.

그때 같은 반이었던 친구들은 지금쯤 뭘 하고 있을까? 얼마 전, 탈학교 했던 중

학교 동창이 음반을 내고 TV 음악프로그램에 나온 것을 보긴 했다. 학교나 도제 시스템의 도움 없이 스스로 성장해 인디 뮤지션으로 데뷔하기까지 그 친구는 얼마나 많은 우여곡절을 겪었을까? 그걸 생각하면 마음이 쓰리기도 하지만, 꾸준히 그 길을 가고 있었다는 게 참 신기했다.

자신의 한계를 깨달으며 성장하기

탈학교 경험을 설명하면, "대단한 용기를 가졌군요." 같은 칭송을 들을 수 있었지만, 20대에 접어들면서는 그런 설명 없이도 좋은 반응을 얻을 수 있는 화자가 되려고 노력하기 시작했다. 그리고 몇 년쯤 더 지나선, 그런 노력 자체가 굳이 필요하지 않은 상황이 되었다. 탈학교 했다는 것이 하나의 결로 존재하기는 하지만, 그 사실 자체가 내 삶에 크게 영향을 주지는 않기 때문이다.

나는 다양한 공간에서 여러 활동을 해 오다가, 사회학을 공부하면 좋을 것 같아 대학을 알아보고 원서를 넣었다. 잘 적응할 수 있을까 하는 생각에 미루다가 겨우 시간을 맞춰 지원했던 기억이 난다.

탈학교 후 몇 년 동안은 그동안 억눌렸던 것들을 분출하고, '10대 탈학교생'에 대한 사회적 편견에 맞서느라 정말 바빴던 것 같다. 그러다가 20대에 접어들면서 대학이라는 새로운 환경을 맞이하게 되었다. 더는 사람들이 "왜 학교에 있지 않고 여기에 있냐?"고 간섭하지 않고, 나는 어디서나 당당하게 성인임을 말할 수 있었다. 오히려 막상 대학에 들어가니, 대안학교 전형 등 다양한 경험이나 경력으로 대학에 온 친구들이 있어서 조금 낫긴 했지만, 여전히 대학이라는 곳이 낯설긴 했다. 나이와 학번에 따라 존칭이 오가는 공간이라는 점도 그랬고, 교수가 강단에 서서 일방적으로 강의하는 구조도 그랬고, 소외되지 않으려고 학기 초부터 학과 온라인 커뮤니티에 열심히 자기소개를 하는 신입생들 모습도 그랬다. 대학은 사회를 변화시킬 수 있는 가능성을 가진 공간이지만, 동시에 많은 한계도 안고 있었다. 그곳에서 나는 다양한 '~주의'들을 만나고 그것들과 부딪치며 내 한계 또한 깨닫게 되었다.

우리는 파트너가 될 수 있을까

대학에 와서, 나 나름대로는 새로운 사회에 발을 담그게 되었으니 말 통하는 파트너들이라도 만들어야겠다고 생각했지만, 쉽지 않았다. 대학이라는 보호막 안에 있으면서도 불안과 무기력에 시달리거나, 모든 스펙을 고루 갖추었지만 딱 위험하지 않을 만큼만 똑똑하거나, 행동 지상주의를 내세우며 대학생의 사회적 의무와 이상에 대해 호소하는 친구들에게서 나는 점점 멀어져 갔다.

그러던 내가 처음으로 대학생들과 함께 무언가를 한 것이 지난 겨울 우석훈 교수의 방학 중 세미나에 참여하면서였다. 거기에 모인 20여 명의 대학생은 대부분 정치적인 문제의식을 가지고 있고, 기존의 운동권과 다른 형태와 방식으로 사회에 변화를 일으키고 싶어 했다. 하지만 어떻게 해야 할지 아직은 모르고 있었다. 이런저런 일을 저질러 볼 기회를 얻으면서 나는 6개월간 여기서 만난 친구들과 캠프를 만들고 포럼을 기획하는 데 참여했다. 경험은 적어도 지향점은 비슷하다는 생각에서 일을 시작했는데, 6개월 후 남은 인원은 나를 포함해 고작 네 명이었다. 한명두명 떠나갈 때마다 이유가 있었다. 바쁘다, 어렵다, 남보다 내가 빛나는 일을 하고 싶다,

개인적으로 힘든 시기를 보내고 있다. 당분간 쉬어야겠다…. 그리고 얼마 지나지 않아 마지막 한 명마저 '안정적인 삶을 포기할 수 없다'며 그만두었다.

겁에 질려 있다는 게 이런 건가? 사실상 학기 중에 학교 다니고 아르바이트도 하면서 6개월간 포럼 하나를 진행했을 뿐인데, 조만간 안정적인 삶을 포기해야 하는 것처럼 느껴졌던 이유가 뭘까. 물론 그 친구에게는 나름대로의 절절한 사연이 있었으므로, 그 친구의 선택을 비난할 수는 없다고 생각한다. 하지만, 만약 많은 대학생이 이런 생각을 하고 있다면 어떻게 해야 할까? 하고 싶은 일을 하기 위해 몇 학기 시원하게(?) 학점을 망치거나 몇 배 더 노력해서 이것저것 다 잘하거나 할 수는 없을까? 사회가 젊은 세대에게 실패해 볼 기회도 주지 않고 경쟁으로 몰아가는 것은 심각한 문제지만, 어차피 그 문제가 쉽게 개선되지 않는다면, 지지 않고 살아가는 나만의 방법을 만들어 내야 하지 않나.

세상을 바꾸지 않아도 괜찮아

탈학교 10년. 시대를 뚫고 나온 천재들이 아닐까 싶었던 나의 친구들은 여전히 새로운 공부를 시작하고, 여행을 떠나고, 다니던 직장을 그만두는 등 새로운 영역으로 자기 삶을 이끌어 내면서 살아가고 있다. 그들 중 무언가 딱히 거창하게 이루어낸 사람은 아직 없다. 나는 그동안 대학을 다녔고, 곧 졸업장이라는 배움의 증표를 얻을 것이다. 탈학교 후 10년간 매년 한 편씩 꾸준히 영화를 만들어 온 친구는 10편의 영화를 찍었고, 그로 인해 다양한 상영, 수상 경력을 가지고 새로운 도약의 기회를 꾸준히 찾아가고 있다. 미술작가가 되었거나 밴드를 꾸려 활동하는 친구들도 있고, 직접 회사를 차린 친구도 있다. 임시적인 직장이나 아르바이트로 생활을 유지하며 살아가는 친구도 있고, 귀농을 준비하는 친구도 있고, 끊임없이 여행을 다니는 친구도 있다. 사회적 기업에서 일하거나 대안학교 교사가 된 친구도 있고, 대학에 다니거나 유학을 간 친구들도 있다. 대체로 가난한 것 같긴 하지만, 일반적인 길을 간다고 해서 가난을 면할 수 있는 시대도 어차피 아니니, 적게 벌고 적게 쓰면서도 하고 싶은 것을 충분히 하는 방법을 몸에 익힌 친구들도 있다. 여전히 영화 한 편 찍으려면 돈이 문제지만 말이다.

질적으로 다르긴 하지만, 20대 후반 나와 친구들은 명문대를 나와 '안정적인' 삶을 추구하지 않고도 안정적으로 잘살고 있다. 난 원래 모든 일에 태도가 분명한 편이었는데, 언제부터인지 때가 되면 답이 나타나리라는 태평한 믿음을 가지고 살기 시작했다. 어떤 사람들은 이런 내 태도를 답답해 하지만, 실은 나는 태평한 게 아니라 지금 당장 답을 내리면 불안하니까 내 마음 상태와 주변 환경을 살피는 습관을 만들어 낸 것뿐이다. 주저하고, 고민하면서, 영향력 있는 조언에 휩쓸리지 않고 내 판단을 분별할 수 있는 시간을 가지고 있는 것이다. 대학을 졸업한 뒤 계획과 관련해서도 그랬다. 어른이 되기 위해서는 내 삶에 너무 큰 영향을 미치는 조언자(부모든, 스승이든)에게서 독립해야 하는 때가 온다. 내 삶은 내가 살아가는 것이므로, 거기서 비롯되는 홀가분함과 무게감도 혼자 껴안고 가야 하는 것이다. 졸업이라는 또 하나의 마무리와 새로운 시작을 해야 하는 단계에서 나는 천천히 과정을 즐기면서 가 보기로 했다. 나이가 들면 불안함과도 친구처럼 지낼 수 있다는 이야기를 조금은 이해할 것 같은 마음으로.

불안하고 혼란스러운 시대기에 나는 더욱 우리가 삶의 매 과정을 잘 치러 내고 있음을 축하하고 싶다. 나와 내 친구들이 행복하게 잘살 수 있을 것 같은 세상이 되려면 아직도 너무, 너무, 너무 멀기에 조금씩만 기대하면서 순간순간들을 잘 살아가려고 한다.

★ 이윤주(성공회대 사회과학부 4학년) ·····

내 주변에는 여러 이유로 고등학교를 그만둔 20대들이 있다. 너무 잘나서든 못나서든 획일적 공교육 프로그램을 스스로 그만둔 친구들이다. 이 중 일부는 너무 세상을 잘 살아가고, 어떤 이들은 상당히 괴로워하면서 살아간다. 윤주는 둘 중 어디에도 넣긴 좀 그런데, 쾌활함과 우울함을 동시에 갖고 있기 때문이다. 그녀는 내가 아는 탈학교 친구들 중 두 번째로 활발하고 많은 일을 한다. 사회적 운동이라는 장과 만나면 폭발적인 에너지와 숨겨진 재능을 숨기지 않고 드러내기도 한다. 성공회대라는 그래도 좀 숨을 쉴 만한 곳에서 무사히 대학을 졸업하게 되었으며, 졸업 이후에 어떻게 20대 당사자 운동을 꾸려갈 것인지 많이 고민하고 있다.

'잉여'들의 새로운 시작

20대는 대한민국의 '호구'다. 즉 지금의 구조 속에서 20대는 무슨 짓을 해도 욕을 먹게 되어 있는, 피해자인데도 마치 가해자처럼 계속해서 반성만 하고 있어야 한다는 것을 의미한다. 20대가 비난받는 이유들을 꼽아 보자면 '계산적이다' '자기중심적이다' '이기적이다' '스펙 쌓기에 미쳐 있다' '소비하는 것밖에 모른다' 따위다. 간단히 말하면 성공해서 돈을 많이 버는 것 이외에는 관심이 없는 신자유주의의 노예들이라는 말이다. 그러나 노예는 아무리 잘해도 본전도 못 찾아갈 뿐이다. 노예 사이클에서 벗어나지 않는 이상 20대는 지금의 사이클에서 벗어나지 못할 것이다. 사이클에서 벗어날 방법은 일단 자신이 노예 상태에 있다는 사실을 깨닫고 그 지겨운 곳에서 탈출하는 것인데, 20대가 살아온 맥락상 그건 거의 '미션 임파서블'이다.

'노예'의 삶

살아오면서 딱 한번 내가 '노예'처럼 살고 있다고 여긴 적이 있다. 고 2 때 '공부 기술'에 관한 책이 선풍적인 인기를 끌며 10만 부 가까이 판매되었다. 암기식 한국 교육제도를 떠나 유학해 새로운 공부 기술을 터득했다는 것이 책의 골자인데, 저자는 공부를 재미있게 해야 된다고 주장했다. 이러한 주장을 뒷받침해 주는 근거 중에 나를 가장 놀라게 한 것은 교과서는 3, 4번 여과되어 정제된 자료라서 원전의 상상력을 담지 못한다는 것이었다. 따라서 공부할 때 교과서 보고 암기할 것이 아니라 원전부터 읽고 이해해야 암기도 할 수 있다는 것이었다. 그 책을 읽을 당시에는 그런 공부 방식에 매력을 느끼긴 했지만, 일단 닥쳐오는 내신 시험과 수능 공부에 그 책에서 보여 준 환상은 나중으로 미루었다.

그러다 수능을 두 달 앞둔 9월 어느 날 나는 다시 그 책을 펴 들었다. 그러곤 엉엉 울었다. 보충학습을 빠진다고 하자 사람 취급하지 않는 선생님을 만나면서 학교에 대한 절대적 믿음을 잃었고, 우연히 암기 과목도 이해하면서 공부할 수 있다는 것을 알게 된 즈음이었다. 그때 나는 왜 공부를 즐겁게 할 수 없고 누가 시키는 대로 해야 하느냐고 자조하면서 비탄에 젖어 있었다. 그리고 지금의 입시 사이클이 노예의 삶이나 다를 게 없다고 판단하고는 그 순간만큼은 깨끗이 수능을 포기했다. 그러나 수능을 포기하고 나선 뭘 해야 할지 모르겠고, 소속이 없는 재수생이라는 타이틀이 그동안 칭찬만 받아 왔던 모범생에게 너무 버거운 일인 걸 알았다. 결국 미친 듯이 인강(인터넷 강의)을 듣고 수능을 쳐 일단 대학에 들어갔다.

그렇게 들어간 대학은 번듯한 사회적 소속감을 줄 뿐만이 아니라, 중·고등학교 때 경험하지 못했던 다양한 활동이 가능한 공간인 것처럼 보였다. 1학년 1학기 때 나는 하고 싶은 대로 해 보았고 나름대로 다른 가능성들을 찾아보려고 시도도 했었다. 그러나 1학기가 끝나고 성적이 공개되던 날, 나를 제외한 친구들은 모두 3점대 후반의 점수를 받았고 내 성적표에만 홀로 F가 보란 듯이 박혀 있었다. 그때부터였다. 친구들과 나를 분리시키려고 갖은 애를 쓰기 시작한 것이 말이다. 지금 생각해 보면 겁이 났던 것 같다. 마음먹은 대로, 되는 대로 살아 보려는 나를 이상하고 생각 없는 애처럼 보는 시선들이 무서워서 토끼가 엉덩이만 보여 주고 있듯이 '쫄았던' 것이다. 그러나 자기 합리화의 귀재였던 나는 내 욕망이 더 우월한데, 지금의 세상이 너무 좁아서 통하지 않는다며 나를 위로했다. 위로의 정도가 거세지면 거세질수록 나는 내 안으로 더 깊이 침잠해 들어갔고, 점점 더 깊고 좁은 공간으로 몰린 자아는 스펙을 쌓기에 미쳐 있는 친구들과 차별성을 입증하기 위해서 광적인 강박증에 시달렸다. 그렇게 스펙 쌓는 친구들과 내 자신을 점점 분리해 간다고 믿었던 2

학년 2학기 중반의 어느 날, 내 안에 스펙 쌓기에 몰두해 있는 친구들과 다를 바 없는 욕망이 도사리고 있었다는 사실을 목격했다. 지금까지 친구들과 다르다고 입증하기 위해 쌓아 올렸던 의식의 벽들은 파도 앞의 모래성처럼 너무나 허무하게 무너져 내렸다.

그동안 나는 대세를 따르는 20대와 다르다는 차별성으로 삶을 근근이 버텨 왔다. 그리고 그러한 삶의 전제는 지금의 20대들이 심하게 찌질하다는 것이었다. 그런데 이제는 친구들이 찌질하다고 비난하는 순간 내 자신도 찌질하다는 명제에서 벗어날 수가 없게 되었다. 나는 내 자신이 붕괴되는 과정을 무력하게 지켜볼 수는 없었다. 내 명제를 새롭게 만들어 내야만 했다. 그러곤 나는 비굴할 정도로 처절해졌다. '스펙 쌓기에 미쳐 있다'고 그동안 20대들을 비난하던 태도를 버리고, 그 대신에 왜 20대들이 그런 노예의 삶을 받아들일 수밖에 없었는지에 대해 답 없는 물음을 던지기 시작했다. 즉, 20대의 결과적인 모습을 묘사하는 대신에 그들이 살아온 과정에 주목하면서, 세상이 20대를 주제로 이야기할 때 어떤 점들을 생략하고 왜곡하는지에 대해 고민하기 시작한 것이다.

"하면 된다" 중독자들

일단은 먼저 20대 삶의 랜드마크들을 찾아갔다. 가장 먼저 떠오른 것은 "하면 된다."였다. 언제부터인가 나는 자기계발서를 보고 감동하는 것을 부끄러워하기 시작했지만, 분명 10대 시절에는 자기계발서와 각종 심리 서적들에 의존했다. 2000년대 초반부터 매년 한 권씩 100만 부를 가뿐히 넘겨 주시며 출판계에 한 획을 그었던 그 자기계발서 말이다. 한때는 자기계발서를 손쉽게 비난하고는 했는데, 막상 내 자신이 명제를 잃어버리고 나서야 자기계발서를 읽었던 독자들에게도 미학이 존재한다는 걸 인식하게 되었다. 그리고 나 역시 자기계발서를 부정하면서도 여전히 자기계발서의 "하면 된다."는 미학에서 벗어나지 못했음도 알게 되었다. 생각해 보면 "하면 된다."는 말만큼 황홀한 건 없다. 독방에 처박혀 혼자 열심히 하다 보면 어느 날 완벽한 인간으로 변신하는 날이 온다는 판타지, 아무에게도 의지하지 않고 오로지 내 의지와 에너지로 주체적이고 독창적인 인간에 도달할 수 있는 판타지, 얼마나 매력적인가. 그러나 이 환상에는 "단 그건, 너 혼자 해야만 하는 일에서만 가능하다."는 가시가 박혀 있다. 자기계발서에 길들여지면 길들여질수록 점점 '시험에 합격하기' 같은 일이 아닌 것들에는 자신이 없어지고, 자신이 없어지니 겁이 나서 점점 더불어 같이 해야만 하는 상황을 기피하게 된다. 이 때문에 자신이 감당해야 할 고독과 불안만 커져 가지만, 이미 혼자가 편해졌기 때문에 간단히 자기계발서의 미학에 더 의지해 버리는 악순환에서 벗어나지 못한다. 따라서 세상이 "그런 환상 던져 버리고, 친구들이랑 연대해야 너네의 삶이 바뀔 텐데?"라는 말을 던져도, 자기계발서에 중독된 사람들은 꿀 먹은 벙어리처럼 가만히 있다가 몰래 도망가는 것이다. 물론 뒤돌아서면서 '누구와 함께 일하는 것은 피곤하고 시간 낭비에 불과한 일'이라고 스스로 자위하면서 말이다 .

'함께함'의 촌스러움?

물론 20대가 자기계발서의 미학에 중독되었던 가시적인 이유는 함께한다는 행위가 촌스럽다고 생각하기 때문이다. 여기서 말하는 '촌스럽다'의 기준은 자신이 소비할 만큼의 매력이 느껴지지 않음을 의미한다. 어떤 측면에서 '소비'는 20대에게 삶 그 자체라고 할 수 있을 정도로, 20대에게 '소비자'로서 정체성은 중요하다. 사실상 우리는 행위의 90퍼센트 이상을 소비에 쏟아부어도 될 만큼 풍요로운 시대에 태어났다. 각종 최신형 기기와 그에 맞추어 끝없이 개발되고 진화되는 각종 프로그램들, 화려함으로 중무장한 미디어의 적극적인 보급은 우리의 모든 감각을 마비시키기에 충분했다. 심지어 우리의 단 하나 사명인 '수능을 잘 치르기 위한 공부'까지도 소비로 해결했고, 여가 생활까지 어른들이 모두 세팅해 놓은 아이돌, 게임의 세계에서 해결했다. 어떤 욕구를 가지더라도 소비로 해결할 수 있는 방식이 무궁무진했다. 결국 지금 20대는 자신들이 뭘 만들고 새로운 것들을 시도할 기회도, 욕구를 가질 필요도 없었다. 물론 이는 90년대 한국의 중산층이 최고조에 달았을 때, 부모님의 재정적 여유가 뒷받침되었기 때문에 가능한 일이었다.

1997년 IMF 때 지금의 20대들은, 자신이나 친구의 부모 혹은 미디어를 통해 부모들이 경제적 능력을 갑자기 잃어 자신들의 삶이 변하는 과정을 속수무책 지켜보게 된다. 이런 갑작스런 변화는 받아들이기 힘든 현실이었다. 무엇인가를 소유하면서 자기 존재를 확인하는 것이 당연했던 삶에서 갑자기 아무것도 소유할 수 없게 된 상황, 즉 자신이 아무것도 아닌 존재로 내동댕이처지는 경험을 하게 된 것이다. 이때의 경험은 소유할 수 있는, 치장할 장식 하나 없이 자기 혼자 온전하게 세상과 맞서야 한다는 점에서 극도의 불안감과 자괴감을 불러일으켰다. 결국 소유라는 왜곡된 방식으로 주체성을 획득하는 것의 한계는 알게 되었지만, 어렸을 때 두려운 기억 때문에 20대들은 더더욱 경제적 안정이나 경제적 성공에 목을 매는 것이다. 만약 IMF 때 '금 모으기'라는 국가적 차원의 집결 대신에 좀 시간이 걸려도 마을 단위의 공동체 연대를 만들어 그때의 재난을 이겨 냈다면 지금의 20대가 '함께한다는 것'에 이 정도의 혐오와 불신을 가지고 있을 것 같진 않다. 그러나 현실은 국가를 위해 모두 금을 내놓는 것으로 마무리되었고, 20대 부모들은 더욱더 국가를 위해서 일하는 일에 안달나시게 되었다. 지금의 20대, 20대의 부모님들 중 누구도 친구와 함께 무엇인가를 해 본다는 상상을 하지 못하게 되었다.

각자의 트라우마를 가지고 있고, 타인은 물론 자신조차 불신하는 사람들끼리 단순히 놀고 먹는 게 아니라 함께 일을 벌인다는 것은 사실상 어렵다. 노예끼리의 연대는 굶어 죽기 전까지는 일어나지 않는 법이니까 말이다. 그런데 20대들은 자신이 노예라는 사실도 인정하지 못할 정도로 '쫄아' 있기 때문에, 갖가지 허상들에 시달리며 혼자 괴로워하고 있다. 20대를 괴롭히는 허상 중 하나가 바로 '소통'이라는 환상적인 '개념'이다. 소통이라는 환상에 갇히면 타인과의 관계에서 금세 상처받고 그 관계를 포기해 버린다. 흔히 소통은 '통한다'는 느낌이 들 때만 이루어진다고 생각한다. 그래서 조금이라도 감정이 통하지 않는다고 느끼면 바로 그 사람과 생산적인 대화를 할 수 없다고 판단하고, 자신이 상처받기 전에 얼른 그 관계를 끝내 버린다. 그러고선 '문화 상대주의'라는 더 환상적인 개념으로 자신을 합리화하며 마무리한다. 그래서 20대들이 점점 더 연애라는 관계에 극도로 집착하는 것이다. 친구와 함께 무엇인가 하는 것은 괴롭고 힘든 일이라고 생각하면서 말이다.

'쿨함'은 마지막 도피처

그렇다면 서로의 차이점을 상쇄할 정도로 강력한 '부정적인 존재'라도 명확히 보이거나 당장 생존이 위협당할 정도로 상황이 안 좋으면 차라리 나을 텐데, 이미 세상은 하나의 적을 상정하기엔 너무 복잡해졌다. 20대들은 무엇보다도 커다란 목적을 가지고 무슨 일을 하는 모든 행위 자체를 '정치적'인 것으로 규정하며 정치적, 사회적 메시지를 중요시 여기는 모든 행위를 촌스럽게 여긴다. 즉 사실은 모두 한번에 세상이 바뀌는 엄청난 대안 갈증에 시달리면서도, 큰 한 방으로는 움직이지 않는 몸들을 가지고 살아가고 있는 것이다. 그래도 인간으로 살아가야 하지 않는가. 그런데도 20대들은 정치적이거나 사회적인 메시지에 대해서는 어느 한쪽으로도 쏠리지 않는 쿨함을 유지하고, 한 방에 성공해 돈을 벌기 위해 준비하는 것에 모든 에너지를 쏟아붓는다. 물론 그 생존법이 20대의 삶을 노예의 길로, 세상에 별 쓸모가 없는 잉여인간의 탄생으로 이끌어 갔지만 말이다.

결국 '쿨함'은 20대의 마지막 도피처다. 지금의 고립 상태가 집단에 대한 공포에서 발생했다는 것을 인정하지 못하는 알량한 자존심 때문에, 20대들은 차라리 '믿음 자체에 대한 불신'이 마치 자신의 정체성인 양 행동하게 되었다. 마치 저 포도가 시큼할 것이 분명하니까 포도를 맛보기 위해 시간을 낭비하느니 차라리 가던 길을 가겠다고 결심하는 이솝우화의 그 여우처럼 말이다. 그러나 그 '낮은' 장애물조차 쉽게 포기한 여우에게 어느 날 갑자기 풍요로운 세상이 나타날 것 같진 않다. 그보다 더 낮은 수준에서 포도를 먹겠다는 얘긴데, 그렇게 해서는 포도를 별로 먹지 못할 게 뻔하기 때문이다.

생각해 보자. 등록금이 일 년에 10퍼센트 올라가도 무관심한 척하면서, 편의점의 삼각김밥을 살 때는 10퍼센트 할인되는 카드를 꼭 챙기는 20대가 사회에서 먹을 수 있는 포도는 얼마나 될까? 고작 5~10퍼센트 할인해 주는 코코펀과 맛집 정보는 찾아도, 학교 식당의 위생이나 관리에는 전혀 관심 없는 20대가 누릴 수 있는 이득은 얼마나 될까? 이미 누가 포장까지 끝내 놓은 상품들만 계속해서 소비하려 든다면, 20대는 딱히 쓸 만하지도 쓸모없지도 않은 잉여의 상태에서 벗어나지 못할 것이다. 사회가 돈을 주어야 한다는 의무감에 시달리지 않으면서도 손쉽게 그들이 가진 돈을 빼앗을 수 있는 그 잉여인간들 말이다. 물론 대부분 20대는 자신의 친구들은 잉여인간이라고 생각해도, 자신만은 잉여인간이 되지 않으리라는 착각을 믿기 위해서 별짓을 다하겠지만 말이다.

'지긋지긋한' 도돌이표 끊기

나는 고 3 수능을 한번 포기했던 그 순간부터 계속해서 이 잉여인간의 그림자에서 벗어나고 싶었다. 그러나 조금이라도 잉여인간에서 벗어났다고 생각될 때쯤이면 다시 제자리로 돌아왔다는 기분이 든다. 벗어날 수 없는 뫼비우스의 띠처럼, 5초마다 기억을 망각하는 금붕어처럼 바로 그 자리를 빙빙 돌고 있는 느낌이다. 이 지긋지긋한 도돌이표에 발이 묶일 때마다 나는 매번 세상과 똑같은 대화를 나눈다.

세상 : 20대, 너네 어차피 안 될 거야. 포기해.

20대 : 아니야! 우리는 그런 세상에 태어난 것뿐이라고. 그게 내 잘못만은 아니잖아?

세상 : 아 그건 미안하게 생각해. 그렇지만 너희가 겁난다고 시키는 대로만 한다면 별수 없지. 그게 너희의 선택이고, 이 선택은 삶의 주도권을 포기한 거잖아.

20대 : 아니야! 나는 내가 혼자서 할 수 있는 건 뭐든지 열심히 해 볼 거야!

세상 : 그래 마음대로 하렴. 너넨 잉여니깐. 별로 달라질 건 없겠지만.

이런 대화를 나눈 지는 한참 되었는데 여전히 나는 '어차피 안 될 거야!'라는 말에서 벗어나지 못했다. 근데 이런 대화를 나누면서 지금 상황을 극복하려 한다면, 이 대화에 응한 순간부터 나는 이미 패배를 선택한 것이다. 위 대화에서 보여지듯이 세상은 나보다 유리한 위치에서 대화를 시작했고, 나는 대화에 끼어드는 순간부터 쫄아 있고 겁먹었다. 혼자서 어찌할 바를 모르는 스스로를 인식할 수밖에 없는 것이다. 결국 이 지루하고 고리타분하며 더욱이 재미도 없는 대화에서 벗어나기 위해서 내가 먼저 세상에 말을 거는 수밖에 없다. 물론 나는 경험도 없고 가진 것도 없기 때문에, 위 대화처럼 대화의 끝까지 예측하고 대화를 시작할 수는 없다. 내가 먼저 시작한 대화의 끝이 설령 위 대화와 별 차이 없이 "어차피 안 될 거야!"로 맺어지더라도, 일단 말을 먼저 꺼낸 이상 잠정적인 결론이 날 때까지 계속 갈 수밖에 없는 것이다.

그러나 설령 결과는 같더라도 세상이 먼저 시작한 대화와 내가 먼저 시작한 대화는 분명 다르다. 위 대화에서 나는 계속 겁쟁이고 세상이 말을 걸어 줄 때까지 기다려야 하지만, 내가 먼저 대화를 시작할 수 있게 되면 적어도 언제든 대화를 시작할 수 있는 배짱은 생기는 것이다. 따라서 첫 번째 시도에서 실패하더라도 그것은 잠정일 뿐 영원한 건 아니다. 성공할 때까지 말을 걸면 되는 거니까 말이다. 무엇보다 그 과정을 통해서 내 시간과 경험이 축적된 시공간이 갖추어진다는 것은 정말 멋진 일이다. 왜냐하면 자신의 트렌드를 자신이 만들어 가고, 대세를 따르는 것이 아니라 새로운 트렌드를 만들어 내는 새로운 삶의 탄생을 알리는 것이니까 말이다.

잉여인간들이 새로운 미학을 만들어 내는 순간, 대한민국은 좀 더 아름다워지지 않을까.

★ 서명선(연세대 중어중문학과 3학년)·····

명선을 만나는 사람은 누구나 놀란다. 중학생, 아무리 후하게 쳐도 고등학생 이상으로 보기 어려운 앳된 얼굴 때문이다. 그래서 명선의 별명 중 하나가 '애기'다. 명선과 소줏집에 가면 대부분 주민등록증을 보여 달라고 한다. 외모도, 목소리도 모두 애기이기는 하다. 그러나 그런 외모와 달리 그녀는 혼자서도 죽지 않는 전투력을 가진 '장군' 재목으로, 지금까지 1년간 스터디팀을 이끌어 왔다. 명선의 또 다른 별명은 '할머니'다. 생각이 깊고, 사려 깊게 주위를 챙겨서다. 그런데 이상하게도 이런 그녀가 "나는 이명박이 싫어요!"라고 말하면 다들 정말로 이명박을 싫어하게 된다는 것이다. 이런 저력을 바탕으로 그녀는 올해 연세대의 생태운동과 문화운동을 대표하는 총학생회장 후보로 출마하려 한다. 누가 보아도 비권으로만 보이는 그녀는 평생 운동을 하겠다고 결심한 시대의 돌연변이이자 가장 대학생 같은 대학생이기도 하다. '똘아이'라는 단어를 가슴에 품고 세상을 살아간다.

★ 88만원세대 새판짜기
혁명은 이렇게 조용히

초판 1쇄 펴낸날 2009년 9월 30일
초판 2쇄 펴낸날 2009년 10월 15일
초판 3쇄 펴낸날 2011년 3월 3일

지은이 우석훈
펴낸이 이광호
펴낸곳 (주)레디앙미디어
편 집 이정신
마케팅 이상덕
본문 삽화 이한솔
디자인 Annd

등록 2006년 11월 7일 제318-2006-00128호
주소 서울시 영등포구 여의도동 13-5 오성빌딩 1108호
전화 02-780-1521 팩스 02-780-1522
홈페이지 www.redian.org
전자우편 book@redian.org

ISBN 978-89-959952-6-6 03300

이 도서의 국립중앙도서관 출판시도서목록(CIP)은 e-CIP 홈페이지(http://www.nl.go.kr/ecip)
에서 이용하실 수 있습니다.(CIP제어번호: CIP2009002894)